KB100419

나는 계속 글을 쓰게 될 것만 같다

장혜영 씀

*

아주 오랫동안 생각했다

글을 쓰는 것에 대해

그토록 쓰고 싶어 하면서

글을 쓰지 않는 자신을 책망했다

그 시간이 모여서

한 권의 책이 됐다

다면체 우리들

차분하다는 건 뭘까. 어려서부터 지금까지 가장 많이 들었던 단어를 하나 꼽으라면 아마 '차분'이라는 단어일 것이다. 어깨에 너무 오래 매달려 있는 꼬리표 같기도 해서 가끔은 떼어 버리고 싶단 생각을 한다. 특히 방송작가, 예능 프로그램 작가로 일하기에는 적합하지 않은 성격이라고 생각하는 사람들을 왕왕 만나기 때문이다.

그래서 나는 처음 만나는 사람 앞에서, 특히 업무적으로 만나는 사람에게 나의 첫인상을 결정 당하기 전에 선수를 칠 때도 있다.

"전 차분하다는 말을 많이 듣는데, 그렇게 보이는 게 싫을 때도 있어요. 요즘엔 좀 달라져야 하나 이런 생각도 들고요. 차분한 게 좋아 보일 수도 있지만, 아닐 수도 있으니까요."

여기에는 두 개의 함정이 있다. 엉큼하게도 말은 이렇게 하지만 속으론 나의 차분한 모습을 정말 좋아한다는 것. 그리고 두 번째 함정은 나는 별로 차분하지 않다는 것이다.

사람은 모두 다면체라고 생각한다. 그저 어떤 면이 조금 더 넓고 어떤 면은 좁은 것일 뿐이라고. 나에게도 여러 가지 면이 있다. 밖으로 노출된 면에는 '차분한' 내가 도드라지지만, 그 이면에는 가만히 있지 못하는 산만한 나, 바보 같은 소리를 하고는 후회하고 괴로워하는 나, 반려묘 겨울이 앞에서 춤을 추거나 이상한 소리를 내는 나도 있다.

이런 나의 이면을 낱낱이 말하지 않아도 사람들은 이미 알고 있을 것이다. 정확히 어떤 모습인진 몰라도 우리는 타인에게 이면이 있다는 걸 알고 있고, 궁금해하고 추측해보게 되니까.

누군가를 만나서 알아가고, 서로를 오래 지켜보다 보면 닮은 구석을 찾아낼 수도 있다. 완전히 다르게 느껴지는 면도 있겠다. 그래도, 서로 잘 맞진 않더라도 한번 맞대볼 수 있다면 좋겠다는 기대를 품고 산다.

유튜브로 브이로그 영상을 질릴 때까지 보는 것, 에세이에 푹 빠져 있는 것, 사람을 만나는 자리를 찾는 걸 보면 나는 다른 이들의 이야기에 관심이 많은 사람이다. 그만큼 나의 이야기를 나누고 싶은 욕구도 크다.

내가 가진 다양한 면 중에서 가장 도드라지는 차분한 면을 앞에 세우고 나의 이야기를 조곤조곤 하곤 한다. 나에게는 용기가 필요한 일이다. 그래서 나처럼 조심스레 자신의 이야기를 꺼내놓는 사람들을 보면 마음을 다 내어주고 싶어진다.

"마술사가 입에서 카드 뽑아내는 마술 있잖아. 그런 것처럼 쟨 말한다니까. 조용히 말을 하는데 집중해서 듣게 돼."

누군가 나에게 이런 말을 했는데 카드 마술이라는 비유가 재미있고 좋아서 오래오래 생각했다. 뽑아도 뽑아도 끝나지 않고 쏟아져 나오는 카드처럼 내 안 깊숙한 곳에 있는 이야기를 계속 뽑아내고 싶다. 그렇게 글을 쓰고 싶다. 그 카드들에 담긴 다양한 나의 면을 보여주고 싶다.

마찬가지로 다른 이들이 털어놓는 이야기도, 그들의 이면도 타로 카드 뒤집듯 간절한 마음으로 뒤집어 보고 싶다. 깊은 마음까지는 알지 못하더라도 상대를 알아가고 싶은 마음, 오래도록 들여다보는 애정의 힘을 믿어보고 싶다.

책을 곁에 두는 마음

어딜 가든 책을 한 권 이상 챙기는 버릇이 있다. 가방을 고를 때, 책이 들어갈 수 있는 사이즈인지가 가장 중요한 필수조건이다. 소설 한 권, 에세이 한 권. 책 두 권 정도를 가방에 넣고 나면 제법 묵직하다. 가끔은 어깨가 짓눌리는 것처럼 무겁게 느껴질 때도 있지만 그래도 그 무게가 주는 안정감이 나쁘지만은 않다.

출근 준비를 할 때 가방에 노트북과 프린트된 자료들, 각종 충전기와 업무 노트까지 넣고 나면 책이 들어갈 자리는 턱없이 비좁다. 하지만 나는 어떤 고집스러운 마음으로 그 틈에 책을 쑤셔 넣는다. 책은 가방에서 가방으로 옮겨 다니고, 집에서는 책상과 침대 머리맡을 옮겨 다닌다. 어쩌면 핸드폰 다음으로 내 몸과 가장 가까이 붙어있는 물건일 거다.

애써 챙겨 나간 책이 바깥 공기를 전혀 쐬지 못하는 날도 있다. 출근길에 업무를 처리하기도 하고, 늦은 퇴근길에는 지쳐서 꼼짝도 하기 싫어지는 거다. 그런데도 나는 다음날 다시 책을 챙겨 넣는다. 읽을 시간이 거의 없을 거라고 예상되는 외출에도 어김없다. 두고 나가면 꼭 아쉬운 일이 생기곤 하니까.

무엇보다 책을 읽지 못해도 '내 가방에 책이 한 권 있다'고 생각하면 내가 어디에 있더라도, 어떤 상황에 놓이더라도 자신을 잃지 않을 것만 같은 믿음이 생긴다. 주변에 의해 변질되지 않은 본래의 내가 아직 여기 있어. 비좁은 가방에 틀어박혀 있지만 그래도 여기 있어. 아주 가까이 있어. 이런 마음이다.

그러니까 책이라는 건, 읽는 행위와는 상관없이 그 자체로도 내가 중요한 무언가를 잊지 않고 있다는 것을 증명하는 존재이기도 한 거다. 그런 의미로 여겨진 지 꽤 오래됐다.

예전에는 업무 시간에 책을 읽을 수 없다는 걸 알면서도 일부러 책 몇 권을 사무실 책상 위에 꽂아 두고는 허기짐을 달래듯이 한 번씩 물끄러미 바라보기도 했었다. 잃어가는 삶의 생기를 다시 돋우기 위한 본능적인 행동이었을 지도 모르겠다. 일에 치여서 읽고 싶은 책을 읽지 못 하고, 쓰고 싶은 글을 쓰지 못하는 처지를 비관하는 데에 많은 시간을 할애하던 시절이었다. 곁에 책을 두는 습관으로나마 고단한 마음을 애써 덮어두려고 했던 건 아닌가 싶다.

오늘도 나는 카페에 가서는 테이블 오른편에 책을 꺼내두고 조급한 마음으로 일을 한다. 마음 편히 책을 읽기 위해서는 밀린 일을 어느 정도는 끝내놔야 했기 때문이다. 하지만 내가 하는 일이란 건 끝이 없어서 이렇게 일만 하다가는 책장은 넘겨보지도 못할 것만 같다. 눈길이 자꾸만 책으로 향하고 조급함이 든다.

결국 작업하던 파일을 저장해두고 책을 읽기로 했다.

하지만 마음속에 느긋함이 없다 보니 책을 읽을 때도 깊게 집중이 되질 않는다. 마음이 급해지니까 내리막으로 미끄러지듯 가속도가 붙는다. 읽어내려가는 속도가 자꾸 빨라져서 중간에 한 번씩 멈출 수밖에 없다. 마음이 조급해지는 건 '해야 할 일이 아직 많이 남았는데.' 하는 와중에 '글도 써야 하는데.' 하는 생각이 불쑥 끼어들기 때문이다.

이런 걱정은 업무와 책 읽기, 글쓰기 중 무엇 하나도 제대로 해낼 수 없게 만든다. 그냥 허둥지둥하는 거다. 그런 내 모습이 우스꽝스럽기도 하고 안쓰럽기도 하다. 어이구. 도대체 뭘 어쩌자구. 후루룩 넘긴 책장을 다시 거꾸로 넘겨, 읽었던 문장을 손가락 끝으로 짚어가며 집중해본다. 어질러진 머릿속을 더듬는 마음으로.

여러 가지 일을 해내며 자신의 인생을 다채롭게 그려나가는 사람들을 존경한다. 나는 한 가지를 그리고자 결심하면 그 한 가지에 관한 생각밖에 못 하는 사람이다. 다른 것을 그려보려고 하면 더 많은 시간과 고민이 요구된다. 나에게 글을 쓰는 일은 너무나도 중요한데, 해야만 하는 일에 치여 온전히 해내지 못할 때마다 마음이 쓰리다. 시간도 부족하지만, 그것에 몇 배로 마음의 여유가 부족해서 그렇다. 마음이 비좁아지면 자유로운 사유를 하기가 어렵다.

에세이는 특히 그렇다. 나를 잘 관리해야 한다. 내가 다른 내가 돼 버리면, 다른 나를 써야 한다. 글을 통해 나의 부정적인 변화를 확인받을 때면 무력해지곤 한다. 그때의 나를, 지금의 내가 이해할 수 없게 되는 건 조금 서글픈 일이다.

과거의 나를 읽으며 깨달았다. 책을 꽂아두고 물끄러미 바라보던 시절에서 달라진 게 있다는 걸. 그저 바라보기만 하진 않는다는 것이다. 조급하게 굴면서 자주 불안해하고, 이도 저도 못 하고 허둥대더라도 가만히 있는 건 그만두기로 했다. 부정적인 나든, 자유로운 나든, 비좁아진 나든 그 순간의 나에게 집중하기로 했다.

또 한 가지 달라진 점은 '일'과 '글'이 자꾸만 충돌한다고 생각했는데, 오히려 '일'과 '나'의 충돌을 중재하는 게 '글'이 아닌가, 생각해보게 된 것이다.

퇴근하고 생각에 골몰하며 글을 쓸 수 있어서 기쁘다. 오히려 일에서 벗어날 수 있는 시간을 확보했다는 생각마저 든다. 일상에 떨어지는 무자비한 일 폭탄 사이에서 글을 쓰는 시간이 방공호가 되어준다면 더 바랄 것이 없겠다는 마음이다.

고요의 소중함

먹다 남긴 커피를 싱크대에 쏟으며 등 뒤가 유난히 고요하다고 생각했다. 집에 혼자 있는 건 무척 오랜만. 집에서 보내는 시간은 점점 많아지는데, 동생과 함께 살기 시작하면서 오롯이 혼자 있었던 적이 거의 없다. 동생은 새로운 일자리를 구했고, 첫 출근을 했다. 요란하게 준비를 하던 동생이 집을 나서고 혼자 남은 낮 1시 20분. 혼자 있는 건 이런 거였지, 하며 여러 감각이 되살아나는 기분이다. 일순 싱크대에 쏟아버린 커피의 향이 짙게 올라온다.

오늘따라 우리 집 거실이 푸르스름한 빛을 띠는 듯하다. 이걸 고요의 빛이라고 칭해본다. 조용한 순간에는 많은 글자가 마음속에 고인다. 그 글자들은 혼자 있을 때 입으로 나오지 않고 글로 나온다. 누군가와 함께 있다면 나는 쉽게 입으로 꺼내버리기 때문에 마음속에는 글자들이 남아있지 않게 된다. 나는 그런 내가, 그런 상황이 못내 아쉬웠다.

집에 켜져 있던 형광등을 모두 끄고 스탠드를 켰다. 푸르스름한 집 안에 노란 불을 켜니 작은 공간이 만들어진다. 고요 속에 생긴 나만의 공간. 그 불빛 아래에서 글을 쓴다.

마지막으로 혼자서 시간을 보낸 게 언제였더라. 동생이 잠시 외출했을 때였나. 약속 장소에서 누군가를 기다리는 시간이었나. 그래. 나는 그때, 내가 기다리는 시간을 참 좋아하는구나 생각했다. 설레는 잠깐의 시간이 참 좋다고. 생각해보니, 나는 혼자만의 시간을 기다렸는지도 모른다. 되새겨보니 삼 개월 동안은, 혼자 보낸 시간이 거의 없었다.

밖은 영하 9도 가까이 기온이 떨어졌다. 바람도 강하게 부는지 창의 비좁은 틈으로 찬 공기가 스며들어온다. 완전한 겨울이다. 길을 걸으며 통화라도 하게 되면 손가락이 고드름처럼 꽝꽝 얼어붙는 날씨다. 집 안에서 혼자 시간을 보내기에 최적의 조건.

동생은 밤늦게 퇴근해서 돌아올 예정이다. 오늘 무엇을 하며 시간을 보내면 좋을지 고민을 해본다. 느긋하게 커피를 마시며 책을 읽거나, 글을 조금 더 써도 좋을 것이다. 음악을 들으며 누운 상태로 가만히 있어봐도 좋겠다.

그동안 혼자 있지 못해 불안했던 나를 떠올린다. 산만해지고, 말이 많아지고, 푸념도 많아지는 가벼운 나를. 누군가와 함께 있을 때 오히려 불안해지는. 오늘은 조금 무겁게 있어 봐도 좋겠다. 미뤄왔던 결정 같은 것도 오늘이라면 해치울 수 있을 것만 같다. 오늘의 결정이라면, 후회하지 않을 수도 있겠다. 나를 마주하는 시간 속에서 내린 결정이라면.

점심으로는 바나나 반쪽과 (나머지 반쪽이 물러 있었다) 사과 한 개를 먹었다. 이따가 저녁을 일찍 먹을까 싶어 적당히 배를 채웠다. 따뜻한 커피가 고프다.

누군가에게 선물 받았던 드립 백으로 커피를 내려 마신다. 집 안에는 어제 마셨던 커피가 아닌, 갓 내린 커피의 향이 뭉게뭉게 퍼진다. 향을 맡으며 커피를 선물한 누군가를 떠올린다. 파도처럼 휩쓸려온다. 내 안에 머물던 사람들의 얼굴이 연이어 떠오른다. 가라앉은 마음속에서만 불쑥 고개를 드는 얼굴들. 혼자일 때만 그리워할 수 있는 사람들이.

그래, 오랜만이니까 충분히 그리워해야지. 아껴 먹는 커피처럼, 몇 번을 내려 마시는 커피처럼, 마음을 아껴가며 오래오래 그리워해야겠다.

오늘은 그래야겠다.

가을의 인연

본격적으로 글을 써야겠다고 결심했던 건 2019년 여름이었다. 그땐 일을 쉬고 있었다. 휴식기를 가져야겠다고 생각한 참이었고, 7월부터 삼 개월 간 미국에서 지낼 기회가 생겼다. 그곳에는 꼭 해야만 하는 일도, 정해진 일과도 없었다. 온전히 쉬는 것에만 열중할 수 있었던 시간. 오래도록 잠을 자거나 요리를 해 먹고, 산책을 하고 카페에서 시간을 보냈다. 간혹 가까운 곳으로, 조금은 더 먼 도시로 여행을 다녀오기도 했다.

그토록 원하던 휴식이었지만 시간이 흐르면서 자연스레 늘어질 수밖에 없었다. 그때마다 나는 일기를 쓰기 시작했다. 내가 정한 유일한 일과였다. 별것 없는 하루도 있는 그대로 적었고, 생각에 오래 잠긴 날엔 그 생각에 대해 촘촘히 적어 내려가기도 했다. 그렇게 매일 쓴 일기를 모아보니 한글 문서 백 페이지가 넘어가고 있었다.

글을 하염없이 쓰다 보니 이렇게 쓰기만 해서 무엇 하나, 하는 공허함도 함께 찾아왔다. 아주 오래전부터 글을 쓰고 싶다고 생각했었고, 글에 관한 생각을 한시도 멈춰본 적이 없었는데 구체적으로 어떤 글을 쓰고 싶은지, 글을 써서 무엇을 하고 싶은지 자신에게 되물어보면 확실한 답을 내리기 어려웠다.

그렇게 혼자서 글을 쓰다 밖으로 발을 내딛게 된 건, 여름이 물러가고 날씨가 제법 쌀쌀해졌을 때의 일이다. 머릿속에서 굴리고 굴리던 고민이 어느새 큰 돌덩이만 해져서는 해결하지 않으면 안 되는 지경에 이르렀다. 그렇게 나는 귀국을 앞두고 처음으로 글쓰기 수업을 신청하게 됐다. 일할 때는 선뜻 행동에 옮기기 어려웠지만, 쉬는 김에 제대로 글을 써보면 좋을 것 같았다. 혼자 고민을 계속 키워가는 것보다는 나을 거란 생각도 들었다. 평소에 좋아했던 작가님이 마침 글방을 연다는 소식을 접하고는 바로 신청했고, 다행히 귀국 시기와 일정이 맞아 함께 할 수 있었다.

글쓰기 수업은 난생처음이었다. 망원동에 있는 오래된 빌라 일 층을 개조한 곳이었는데, 밖에 있다가 그 안에만 들어가면 다른 세상이 펼쳐지는 것 같았다. 식상한 표현일지 몰라도 정말 그랬다. 작은 작업실에 아홉 명의 사람들이 커다란 테이블에 둘러앉았다. 나이도, 직업도, 사는 곳도, 글을 쓰고 싶은 이유마저 다른 초면의 사람들이 모여서 함께 글을 썼다.

우리의 모임이 비밀은 아니었지만 어딘지 비밀스러운 구석이 있었다. 그래서일까. 글방에 가는 길에는 긴장감에 괜히 쭈뼛대기도 하고, 설레는 마음에 주변 풍경을 유심히 눈에 담아두기도 했다. 특별할 것 없는 골목이었지만 눈부신 시월이었고, 나는 글방에 가는 게 정말 좋았기에 그 길마저 소중하게 느껴졌다.

우리는 하나의 주제로 글을 쓰고, 각자 쓴 글을 다른 이들 앞에서 소리 내 읽었다. 글 앞에서 진정으로 솔직해졌던 순간이다. 내면 깊숙한 곳에 숨겨뒀던 이야기를 글로 풀어냈고 우리는 서로의 글을 읽고 들으며 눈물을 훔치기도 했다.

그때 처음 용기를 얻었다. 글이란 게 읽는이에게 가닿으면 어떤 화학작용 같은 것을 일으키는 걸지도 모른다고. 글은 위로가 될 수도, 용기를 줄 수도, 깊은 인상을 남겨줄 수도 있다는 걸 깨달았다. 이런 마음으로 글을 쓴다면 제법 좋은 글을 쓸 수 있을 거란 기대감이 차올랐다. 그리고 혼자만의 일이라고 생각했던 글쓰기가 다른 이들과 함께할 때 더욱더 다채로워 진다는 것을 실감했다. 글은 누군가가 읽어줬을 때 더욱더 뜻깊어진다는 것도.

한 달이라는 시간은 금세 지나갔다. 우리는 서로를 꼬옥 안아주며 작별을 고했다. 마음속에는 아쉬움과 후련함이 공존했다. 헤어짐에 대한 아쉬움과 용기를 내어 솔직한 글을 썼다는 데에서 오는 후련함이었다.

가을볕에 달궈진 것처럼 글에 대한 열망이 타올랐다. 마침 글방에서 인연이 닿은 한 분이 또 다른 글쓰기 수업인 '에세이 스탠드'를 소개해줬다. 그렇게 나는 11월에 서촌에서 태재 작가님과 일곱 명의 동기를 만났다. 글의 인연들이었다.

2019년 가을에 만나 지금까지 이어져 오는 인연들. 나는 가을이라는 계절을 떠올리면 망원동과 서촌으로 글을 쓰러 다니던 때가 떠오른다. 글을 쓰러 가는 발걸음. 좁은 골목길을 조심조심 걷던 낮과 밤. 작은 작업실에서, 영업을 마친 텅 빈 카페에서. 커다란 테이블에 둘러앉아 두런두런 글에 관한 이야기를 나누던 사람들. 그해 가을에 시작된 인연들이 없었다면 나는 지금까지 글을 쓸 수 있었을까.

에세이 스탠드에서 온라인으로 글을 쓰는 에세이 드라이브로, 방식은 조금 달라졌지만 나는 꾸준히 글을 쓰는 사람이 됐다. 물론 너무 바쁠 때는 잠시 글을 손에서 놓긴 하지만, 곧 다시 이어나갈 수 있음을 안다. 이런 믿음을 가지는 건, 엄청난 일이라고 생각한다. 규칙성을 띠지 않고 두서없이 글을 쓰던 내가, 많은 이들과 함께 글과 소감을 나누며 글쓰기 근육을 단련해나가고 있다고 생각하니 옆구리 한쪽이 단단해진 기분이다.

가장 좋은 것은 글을 계속해서 쓰라고 말해주는 이들이 주변에 늘어나고 있다는 것이다. 또 함께 쓰는 사람이 많아졌다. 글에 대한 열망은 불씨 같아서 불씨를 틔운 이들과 곁을 함께 하면 쉽게 옮겨붙기 나름이다. 나는 이 불이 쉬이 꺼지지 않도록 조심스레 이어나가고 싶다.

미국에서 지낼 때 자주 가던 베트남 식당이 있었는데, 식사를 마치면 꼭 포춘 쿠키를 가져다주곤 했다. 그때 나왔던 점괘를 아직도 소중히 보관하고 있다. 함께 글을 쓰는 이들과도 나누고 싶은 말이다.

'You have a charming way with words
and should write a book.'

광주 가는 길

광주에 간다. 용산에서 ITX를 타고 구불구불 선로를 따라 남쪽으로 간다. 날씨가 깨끗하고 맑아서 기차를 타기에 딱 좋은 날씨다. 커다란 창으로 햇살이 내리쬐고 나의 오른쪽 뺨과 어깨가 따끈히 데워진다. 챙겨온 책을 꺼내 읽는다. 그러다 문득 그를 만나기 위해 광주에 가는 건 처음이란 사실을 깨닫고는 생각에 잠긴다.

광주는 아니지만, 예전에 기행 다큐멘터리 프로그램에서 일할 때 취재 차 여수에 간 적이 있다. 그때 '여수밤바다' 노래가 유행이었는데, 먹물이 넘실대는 것만 같은 밤바다를 마주하고는 술 냄새 나는 입김을 후 내쉬어 본 기억이 어렴풋이 난다.

섬을 자주 다니던 시절이었다. 여수의 아름다운 금오도, 초도를 오갔다. 통영에서도 처음 들어보는 이름의 섬들을 찾아갔다. 욕지도, 초도, 연화도, 우도, 매물도, 사량도… 남해뿐만 아니라 서해, 동해, 제주도 옆에 위성처럼 붙어 있는 아주 작은 섬들까지. 평평한 섬을 한쪽 끝에서 반대편 끝까지 걸어간 적이 있다. 외딴 행성에 와 있는 것만 같았다. 한동안 섬의 매력에 매료된 채 답사를 다녔다.

그때 나는 섬의 이름들을 나열하며 마음속에 점을 하나씩 찍었다. 그 섬에 가려면 이 섬에서 저 섬으로, 뱃길 따라 점선을 이어가면서. 아직도 나에게는 섬으로 연결된 점선이 있다. 그래서인지 곧잘 섬의 기억을 불러오곤 한다. 그 순간마다 멀미가 날 것처럼 마음이 일렁인다. 선상에서 바라보던 파도의 높낮이가, 섬의 능선과 능선이 울렁울렁 떠오른다. 섬의 마을 풍경과 사람들의 얼굴이, 바닷바람에 헤지고 땡볕에 삭듯이 희미하게. 빛을 받은 유리 조각처럼 남아있다.

여린 벼 모종이 한 땀 한 땀 모여 만들어낸 연둣빛 대지를 스치며 도착이 임박한 걸 깨닫는다. 이제 30분 후면 광주역에 도착한다. 그를 만나면 인사는 어떻게 건넬까, 어떤 말을 먼저 할까, 그런 생각들을 한다. 서로를 마주했을 때, 나는 어떤 표정일까. 그의 표정은 어떨. 그가 건넬 다정한 인사를 떠올려본다. 생각만으로도 마음이 편안해진다.

기차를 타고 광주에 가는 길. 사랑하는 이가 머무는 곳에도 점을 찍어본다. 구불구불 기찻길을 따라 점선도 그어본다. 마음속으로 언제든 점선을 따라 점과 점을 연결해볼 수 있도록. 그의 웃음도, 다정함도 빛을 받은 유리 조각처럼 언제든 떠올릴 수 있도록.

달의 선물

달을 꼭 봐야 하는 날이라며 세상이 온통 떠들썩했다.
슈퍼 블루문에 개기월식까지 겹쳐 핏빛으로 물든 달
을 볼 수 있다고 했다. 이런 일에는 누구보다 설레던
내가 그날은 덤덤했다. 야근을 하고 집으로 돌아오는
길에서조차 하늘을 올려다보지 않았다. 유난히 지친
날이었다.

집에 도착해서는 피곤함을 이겨내며 애써 뒹굴뒹굴, 핸드폰만 들여다보다가 시간을 보니 새벽 1시가 돼가고 있었다. 갑자기 달이 보고 싶어졌다. 환상적인 우주쇼라고 하던데, 벌써 다 끝났겠지? 달이 보이기나 할까? 반신반의했지만 새벽 공기라도 맡을 겸 현관문을 열었다.

문을 열자 서늘한 바람이 불어온다. 문 앞에 서서 머리 위를 올려다보니 기다리고 있었던 것처럼 주택들 사이로 크고 환한 달이 떠 있었다. 평소보다 조금 더 크고 가까울 뿐이다. 잠시 달을 올려다본다. 역시 나와서 보길 잘했다. 쌀쌀함을 느끼고 집에 들어가려던 그때, 멀찍이서 작은 기척이 들렸다.

고개를 돌려보니 주인집 아저씨 차 위에 쫑긋 선 두 귀의 실루엣이 보였다. 자세히 지켜보니, 고양이였다. 가만히 앉아서 뭘 하고 있었던 걸까. 나의 갑작스러운 등장에 놀라서 저렇게 굳어있는 건가. 혹시나 싶어 "이리 와." 하며 손짓을 했더니, 예상과는 다르게 망설임 없이 차에서 뛰어내려 도도도도- 경쾌한 발걸음으로 우리 집 계단을 올라왔다.

처음엔 경계하는 듯했지만, 어디선가 배운 대로 눈을 맞추고 천천히 깜빡이며 인사를 건네자 고양이는 손이 닿을 정도로 가까이 다가왔다. 어두워서 보이지 않았던 녀석의 모습이 집에서 새어 나오는 불빛에 서서히 드러났다. 등과 양 눈 주변이 검은 무늬로 뒤덮여 있었고 눈동자가 노란 호박 보석처럼 빛나고 있다. 코에도 귀여운 점이 하나 더 있다. 성묘는 아닌 듯했다. 어쩌면 이미 성묘가 됐지만 마른 탓에 작아 보이는 걸지도 모른다.

이름을 불러주고 싶었는데, 나는 그 아이의 이름을 모른다. 달을 보러 나와서 만났으니, 우선 '문(Moon)'이라고 부르기로 한다. 자길 부르는 걸 아는지 계단 밑으로 쪼르르 내려갔다가도 '문-'하고 부르면 다시 돌아왔다. 쪼그려 앉아 손가락을 내밀자 킁킁 냄새를 맡고는 더 가까이 다가와 나를 바라본다. 눈빛이 또렷하다. 손가락을 한 번 더 내밀자 이번에는 장난감 취급하듯 솜방망이 같은 작은 앞발로 툭툭 건드린다.

그렇게 한참을 앉아있었다. 세상은 고요했고, 갑자기 나타난 문의 존재가 비현실적으로 느껴졌다. 모두가 잠든 와중에 문과 나, 둘만 깨어있는 것 같았다.

목이 마를까 싶어 물을 담아 내왔지만 마시지 않았다. 고양이에게 줄 수 있는 음식을 검색해보다가 집에 있는 참치 캔이 떠올랐다. 깨끗하게 물에 헹궈서 주면 괜찮다는 말에 집에 들어와 참치 캔을 뜯었다. 마음이 급한 나머지 싱크대에 흘려보낸 참치 덩어리가 적지 않다. 불투명한 현관 유리문에 문의 하얀 실루엣이 어른어른한다. 문 앞에서 기다리고 있는 모양이다.

문을 열자 문의 궁금증 어린 얼굴이 바짝 붙어 있다. 이 커다란 네모 안에는 뭐가 있을까, 하는 표정. 참치를 앞에 놔주자 온종일 굶은 것처럼 잘 먹는다. 깨끗이 비워진 그릇을 집에 가져다 두려고 들어온 사이에도 문은 떠나지 않고 현관문 앞에 앉아있었다. 문을 살짝 열면 문의 얼굴이 보였다. 조금만. 아주 조금만 더 열면 안으로 들어올 것만 같았다. 문의 몸짓이 갈팡질팡 고민하는 것처럼 보였다.

어쩌지, 어쩌지. 오늘 밤만 집에서 재워줄까. 길고양이를 집에 들여도 되는 걸까. 무책임한 행동은 아닐까. 쉽게 결정할 문제는 아니지 않을까. 설레면서도 막막한 마음에 고민이 길어지는 사이, 문 앞에 앉아있던 문의 실루엣이 사라졌다. 급하게 문을 열어젖혔지만, 문은 이미 사라지고 없었다. 잠깐 모습을 감춘 걸까. 불러보기도 하고 기다려봤지만 문은 나타나지 않았다. 이대로 보낸 것이 후회됐다. 노란 눈동자가 벌써 보고 싶었다. 문 앞에 와있을까 싶어 들락날락하기를 몇 번.

그러다 문득, 나 혼자만의 호의일 수도 있겠다는 생각이 든다. 문도 자신만의 집이 따로 있을 수 있지. 새벽에 잠깐 놀러 나왔다가 우연히 나를 만난 걸 수도 있고. 재미있게 놀고 잘 먹었으니, 돌아가는 게 당연한 건지도 모르지. 나 혼자 오버했네, 하면서도 자그맣고 하얀 실루엣이 현관문에 어른거리는 것만 같아 새벽까지 문을 계속 열었다 닫았다 반복했다. 집 안 공기는 점점 더 차가워졌다.

달의 크기만큼, 마음에 구멍이 생긴 것 같았다. 차가운 바람이 구멍을 스치며 결국 혼자라고 말해주는 것만 같다.

누군가는 인연에 얽매이지 말라고 한다. 또 누군가는 인생은 타이밍이라며, 기회를 놓치지 말라고 한다. 둘 다 맞는 말 같기도 하고 틀린 말 같기도 하다. 인연에 얽매이지 않으려고 애쓰는 나였지만, 그건 내 마음대로 되는 게 아니라는 생각이 들었다. 잠깐에도 이렇게 큰 구멍을 남기는 게 인연인데 어떻게 얽매이지 않을 수 있을까.

나는 앞으로도 새벽마다 문을 벌컥벌컥 열게 될지도 모르겠다.

이토록 충동적인 시작

인천공항 리무진 버스 짐칸에 트렁크를 싣고 버스에 올랐다. 밤이 깊어가고 있었다. 나는 프랑스 파리에서 17일간의 여행을 마치고 돌아온 참이었다. 버스 좌석에 몸을 편안히 기대어 앉았다. 곧 버스가 기분 좋게 엔진 소리를 내며 움직이기 시작했고, 집에 간다는 생각에 몸도 마음도 한없이 느슨해졌다. 창밖으로 회색빛에 잠긴 도로 풍경이 마스킹 테이프처럼 똑같은 패턴으로 이어지고 또 이어지는 걸 무심히 바라보고 있었다. 순간, 가슴속에 전류가 살짝 흐르더니 몸에 긴장감이 돌며 마음속 전등의 스위치가 딸각- 켜졌다.

나는 서둘러 스마트폰을 꺼내 무언가를 검색하기 시작했다. 검색어는 '다큐멘터리 작가'에서 '방송작가'로 이어졌다. 검색 결과 창에 '방송작가 아카데미' 사이트 링크와 '방송작가가 되려면 어떻게 해야 하나요?' 등의 지식인 질문, 대중에게 소개된 방송작가의 인터뷰, 관련 서적, 직업 소개 포스팅 목록이 화면을 채웠다. 집으로 향하는 도로 위에서 나는 전투적으로 자료를 찾고, 읽었다. 고속도로 정체가 풀리듯 머릿속이 시원하게 뻥 뚫렸다. 목적지가 결정된 내비게이션처럼 빠르게 경로를 그려나갔다.

그리고 버스에서 내리기 전, 나는 마음의 결단을 내렸다. 방송작가가 되기로.

순식간에 불타오른 마음이었다. 인생의 방향을 정하는 중대한 결정을 살면서 몇 번이나 만나게 될지 모르지만, 이건 첫 챕터를 장식할만한 큰 결정이었다. 대학 전공을 정할 때도 느껴보지 못한 열망이었다. 사랑에 빠진 사람처럼 몸이 뜨거웠고, 마음이 달뜨기 시작했다. 사랑에 빠지면 오직 그 존재밖에 안 보인다고 했던가. 나는 굉장히 무모한 짓을 저질러버리고 말았다. 그게 무엇인지 공개하기 전에 우선 내가 어떤 상황이었는지 설명할 필요가 있겠다.

나의 전공은 문화재 보존과학이었다. 문화재를 수리하고 복원하는 학문인데, 쉽게 설명하자면 소설 '낭만과 열정 사이'의 남자 주인공 준세이의 직업, 또는 영화 '인사동 스캔들'에서 배우 김래원이 소화한 역할을 떠올리면 비슷하다. 현실과는 좀 다를 수 있지만.

전공을 살려 대학교 4학년 2학기 때부터 한 국가 기관에 취업해 보존처리 일을 하고 있었는데, 한 달간의 휴가가 주어졌고 그 이후 재계약을 앞두고 있었다. 심지어 졸업과 동시에 대학원 석사 과정에 진학하기로 교수님과 이미 논의가 끝난 상황이었다. 그렇다. 이런 상황에서 나는 4년 동안 공부해온 전공과 앞으로의 계획을 몽땅 뒤집어엎기로 한 것이다.

내 마음에 불을 밝힌 전류는 아마 파리에서부터 줄곧 몸속에서 돌고 있었을 거다. 그 전류는 여행 기간 내내 묵었던 한 숙소에서 시작됐을 것으로 추정된다. 나는 한국인 여성만 손님으로 받는 게스트하우스에서 머물렀다. 조용한 가정집 분위기였는데, 그때 같은 방을 쓰게 된 사람이 있었다. 프랑스에서 유학 중인 나보다 나이가 몇 살쯤 많은 언니였는데, 이사할 집의 입주 기간까지 일주일 정도의 시간이 붕 뜬 바람에 게스트하우스에 묵고 있다고 했다. 같은 공간에서 오래 부대끼다 보니 우리는 금세 친해졌다.

그날은 와인을 나눠 마시며 정말 많은 이야기를 나눴던 밤이었다. 내가 글 쓰는 것을 오랫동안 좋아해 왔다는, 꿈에 관한 얘기도 털어놓게 됐다. 여행 중에는 내밀한 감정도 선뜻 밖으로 꺼내놓기 마련이니까. 한동안 묵묵히 이야기를 듣던 언니는 사뭇 진지한 표정으로 얘길 꺼냈다.

"네 얘기를 듣다 보니까 생각난 건데, 내가 아는 사람 중에 다큐멘터리 작가가 있어. 너 그거 하면 진짜 잘 어울릴 것 같다."

그때까지만 해도 방송작가라는 직업이 지금처럼 알려지지 않았을뿐더러 지나가듯 들은 말이라 확 와 닿지도 않았기 때문에 "아, 그런가요?"하고 말았다. 그리고 여행 내내 그 얘기에 관해서는 까맣게 잊고 있었다. 그런데 한국에 돌아와 난데없이 그 말이 훅 떠오른 것이다. 나는 기대했던 것 같다. 방송작가라는 직업이 어쩌면 내가 좋아하는 글과 닿아있으면서도 현실적인 직업이 아닐까 하고. 막연하게는 '작가'라는 직함을 갖고 싶었는지도 모른다.

그 언니가 인생의 핸들을 꺾어야 할 때 나타나 도와주는 신(?) 같은 존재였는지 모르지만, 어차피 답은 내 안에 있었을 거라고 생각한다. 여행하는 동안, 내 인생이 이대로 결정되는 건가? 이 일이 나와 잘 맞는 걸까? 그냥 흐르는 대로 가고 있는 건 아닌가? 고민하고 또 고민했었다. 왠지 잘 맞지 않는 옷을 입고 있는 것 같아 갑갑하기도 하고, 30년 후의 내 모습이 벌써 그려지는 것 같아서 미래에 관한 기대감을 상실하기도 했다.

어쨌든 나의 선택이 도전이었는지, 도피였는지 지금의 나는 명확히 알 수가 없다.

그래도 아카데미를 다니면서 새로운 걸 배우는 것만으로도 즐거웠다. 마포에 있는 한 제작사로부터 합격 소식을 들었던 날은 잊을 수가 없다. 긴장감과 황홀감에 몸이 녹아내리는 것 같았다. 벌게진 얼굴로 방을 서성이던 나의 모습이 떠오른다.

다큐멘터리로 방송 일을 시작한 나는 나이가 많은 선배님들과 함께 일했다. 그중 시인이기도 했던 선배님이 쓰는 대본은 진짜... 최고였다. 아름다운 풍경에 입혀진 내레이션은 그 자체로 시였고 한 편의 수필이었다. 언젠가는 나도 작가님처럼 멋진 대본을 쓸 수 있을까. 그런 날이 온다면 정말 좋겠다.

그 마음 뿐이었다.

달콤한 시작과는 달리 방송 세계는 혹독했다. 쓴맛이 너무 강해서 사레에 들릴 지경이었다. 첫 프로그램에서 백만 원의 월급을 받으며 몸과 마음을 탈탈 털어 일했다. (팔십 만 원을 주는 곳도 허다했는데 그나마 더 챙겨주는 곳이었다) 이 돈으로 월세를 내고 교통비와 생활비를 빼면 남는 것도 별로 없었는데, 너무 바쁜 나머지 돈 쓸 시간조차 없어서 되려 돈이 모이기까지 했다. 바쁜 스케줄로 몸을 챙기지 못해 체력이 훅훅 꺾이기 시작했다. 그럼에도 시작의 강렬함 때문인지, 선택에 대한 책임감 때문인지 나는 쉬지 않고 달렸다.

삼십 대에 접어든 나는 여전히 방송작가로 살고 있다. 그때의 무모한 도전이 아니었다면 나는 지금 어떤 삶을 살고 있을지 궁금해질 때가 있다. 비록 충동적인 시작이었지만 후회는 없다. 그리고 새로운 시작은 가까운 곳에 늘 도사리고 있다고 믿게 됐다. 어쩌면 시작이라는 것은 곁에서 나의 시선이 자신을 조명하기만을 기다리고 있을지도 모른다고 말이다.

앞으로도 쭉 글을 쓰고 싶다는 꿈이 있다. 방송용 대본 말고, 나만의 글을 쓰고 싶다. 될까 안 될까, 생각만 하는 것보다 우선 저질러야 한다는 걸 안다. 나이를 먹으면서 점점 겁이 많아지는 걸 느끼지만, 그때 그날처럼 발을 동동 구르며 하고픈 것을 찾아 나서던 모습을 잃고 싶지는 않다.

지금까지 단단하게 쌓아온 지난 시간이 앞으로 나아
갈 수 있는 든든한 힘이 되어 줄 거라 믿는다.

꼭 그가 쓰는 글처럼 단정하고 진실된 글을 쓰고 싶다
고, 이만큼 나를 버티게 한 오랜 나의 선배. 그는 전화
를 걸어 대뜸 이렇게 말하곤 한다.

"혜영아, 네 글을 써. 네 글을."

사랑하는 마음의 한계

한강이 얼었다. 온통 언 건 아니었다. 가장자리부터 얼기 시작해, 가운데는 얼지 않아 동그랗게 수면이 드러나 있었다. 허옇게 얼어붙은 강과 대비되어 물결은 더 짙은 남색으로 보였다.

넘실넘실. 얼음 위로 넘쳐흐를 듯 흐르지 않고 울렁울렁. 마치 그 동그랗고 넓은 구멍이 블랙홀 같다고 생각하며 멍하니 바라봤다. 그 순간, 열차는 블랙홀에 빨려 들어가듯이 검은 통로로 접어들었다. 지하로, 지하로.

오늘은 사랑하는 마음의 한계를 깨달아버렸다. 사랑의 한계가 아닌, 사랑하는 마음의 한계라고 한 것은 사랑을 담는 그릇인 내 마음이 비좁은 것을 깨달았기 때문이다.

나의 아집이 얼마나 꽝꽝 얼어있는지. 그 얼음 밑으로 사랑이 찰방찰방하는데도. 딱딱하고 차가운 마음은 점점 넓어져만 간다. 사랑은 그저 얼음장 밑을 흐를 뿐이다.

언젠가 나의 아집이 다 녹아내리고, 너른 강물을 유유히 흘려보낼 수 있을 때. 그때는 당신을 마음껏, 활짝 펼친 두 팔로 꼭 안아줄 수 있었으면 좋겠단 생각을 한다.

네온사인과 전구

달빛이 새어 들어와서 방이 환해진다.
은은한 빛이 가득 들어찼다.
이내 그 빛이 붉은빛도 되었다가 푸른빛도 되었다.
꿈인 듯싶어 블라인드를 걷었다.
앞 건물 네온사인이 켜져 있다.
새벽에도 쉬지 않고 현란하게 빛을 뿜어내고 있었다.
문득 나는 내가 사는 이곳이 밉고 무서워졌다.
도시에 살며 수없이 속고 다치고 아팠다.
몸이 아프다가 마음도 아프고 결국 둘 다 아픈 날도 있었다.
이렇게 아픈 게 맞는 것인지, 누구나 마찬가지인 건지,
이 자체가 자연스러운 과정인지 혼란스럽다.
적응한다는 것. 홀로 부딪히며 살아간다는 것 자체가
마냥 아프고 버거운 일인지도 모르겠다.
그래도 멈춰 서 있을 수만은 없어서 걷고 또 걷게 되는 거겠지.
지금의 고통은 응당 필요한 것이며 어쩔 수 없는 일이라,
그 어떤 생도 아프지 아니하지 않다고 스스로 합리화하며.

- 네온사인
2016. 1. 18.

날짜 밑에 '몸을 숨기고 누이고 쉬게 할 작은 어둠도 허락되지 않는 도시의 밤.'이라는 문장까지 적고 J는 펜을 내려놓는다. 시계를 확인하니 벌써 새벽 2시 38분이다. 블라인드를 걷어놓은 채 방으로 새어 들어오는 불빛들을 멍하니 바라본다. 한숨이 절로 나왔다.

J가 사는 오피스텔은 서울에 올라와 두 번째로 이사한 집이다. 큰길과도 가깝고 지하철역도 걸어 갈 수 있는 거리여서 마음에 들었다. 하지만 이 집에서 몇 번의 밤을 거치며 뭔가 잘못됐다는 걸 깨달았다. 이 동네는 절대 잠들지 않는다. 아니, 오히려 밤이 되면 활기를 띠는 곳이었다. 퇴근하고 집에 가는 길에 간판을 하나, 둘, 셋 세어보니 최소 열두 개의 모텔이 골목에 모여 있었다. '놀러와', '설레임', '플라워', '쟈스민', '샤르망'… J가 사는 오피스텔은 모텔과 모텔이 군집을 이뤄 완성한 커다란 성벽에 기대어 있는 형국이었다.

음과 양의 조화가 응집된 곳이다. J는 그런 생각을 지울 수 없었다. 뭐가 됐든 과잉된 건 분명했다. 낮엔 멀쩡하다가 밤만 되면 이상한 공기가 골목에 흘렀다. 매일 밤늦게 퇴근하는 탓에 차라리 다행이란 생각도 들었다. 인적이 드문 골목보다는 안전하다고 생각했기 때문이다. 하지만 밤새 집으로 새어 들어오는 휘황찬란한 간판 네온사인 불빛은 참아낼 수가 없다. 블라인드로 가려도 아주 작은 틈으로 붉거나 푸른빛이 흘러 넘치듯 방에 고여 들었다.

J는 방송국에서 일했다. 방송작가계의 피라미드 제일 밑에 칸에 있는 막내작가가 된 지 1년 하고도 6개월이 넘어가고 있었다. 정신없는 나날이었고 시간이 어떻게 흘러가는지는 알 수 없었다. 퇴근 시간은 정해져 있지 않았지만, 공공연히 밤 11시로 굳어져 있었다. 물론, 더 늦어질 때가 많았다.

방송국 건물 17층에는 통유리창이 많다. J는 사무실 자리에서 슬쩍 빠져나와 야경을 바라보곤 했다. 온통 불빛으로 가득 찬 도시가 멀리까지 잘 보였다. 불빛들이 아주 먼 곳에서부터 강렬하게 빛나는 모습은 마치 눈에 띄기 위해 아등바등 애쓰는 사람들처럼 느껴져서 가끔은 넌덜머리가 났다. 자신이 그 불빛 중 하나로 느껴지기도 했던 거다.

깜빡이는 불빛처럼 J는 자주 예민해졌고 쉽게 상처받았다. 너무 많은 사람과 닿아있었고 예상할 수 없는 상황에 노출돼 있었다. 감당하기 버거울 만큼 많은 일을 떠안았을 때는 눈앞이 팽팽 돌기도 했다. 일 뿐만 아니라 선배들의 자잘한 심부름과 감정노동에 기진맥진해졌다. 열 명 이상의 식사와 커피를 챙기는 건 기본이었고 밥을 먹다가도 선배의 칫솔을 편집실이나 작가실까지 가져다주러 뛰어 올라간 적도 있었다. 칫솔은 지갑이나 가방, 노트북, 펜이 되기도 했다.

이 고비만 넘기면 된다며 마음을 다잡았다. 이 프로그램이 아주 좋은 경력과 기회가 돼 줄 거라고 생각했고, 잘 해내고 싶은 마음이 달궈진 전구처럼 뜨거웠다.

J는 자신이 진짜 전구가 된 게 아닐까, 덧없는 상상을 했다. 빛을 내느라 자신을 다 태워 먹고 있는 것만 같았다. '보세요! 이렇게 밝고 노랗고, 오래 가죠!' 하며 무리하게 필라멘트를 태우고 있었다. 자신이 혹여나 꺼져버리면 다른 전구로 쉽게 교체될 거라는 것을 무의식적으로 알고 있었던 것이다. 지금은 빛을 최대 밝

기로 내는 수밖에 없다. 하지만 빛으로 넘치는 도시에서 작은 전구가 빛을 내기란 어려운 법이다.

지친 몸을 이끌고 집에 돌아왔을 때, 티끌만 한 영역도 남겨두지 않겠다며 창문으로 침범해오는 네온사인 불빛들을 보며 J는 정말이지 지독하다고 생각했다. 그것은 방송국에서 봤던 야경 속 불빛과는 다른, 불안이나 외로움의 색을 띠었다. 그치지 않는 빛 공해 속에서 J는 일기인지 뭔지 모를 메모들을 남겼다. 답을 모르는 수학 문제에 괜히 이 공식, 저 공식 끼적여 보는 마음. 자신을 억누르는 모든 빛으로부터 잠식되지 않기 위해 부적을 그리는 마음이다. 네모난 종이 위에서는 잠시나마 쉴 수 있었다. 시간은 그렇게 흐르고 또 흘렀다. 그 사이 J의 선배 중 한 명은 눈 옆까지 대상포진이 퍼져 프로그램을 그만뒀다.

결국 J는 이 프로그램에서 좋은 기회로 입봉을 했다. 그리고 작가 앞에 '막내'라는 단어를 떼어냈다. 왜 '막내'라는 단어를 쓰는지 이해할 수 없었지만, 한 단계 올라섰다는 생각이 들어 마냥 기뻤다. 그렇게 일을 통해 자아실현을 하며 오래오래 행복하게 살았다…

로 끝나면 좋겠지만, 그런 이야기는 현실에 없다. 그 때부터가 진짜 시작이다.

시간이 지나 깨달았다. 이 고비만 넘기자, 라는 건 자기 위안에 지나지 않는 주문이었다고. 고비가 파도처럼 끊임없이 덮쳐오면 아무리 굳건한 사람도 어쩔 수 없이 깎여나갈 수밖에 없다는 것을.

J는 어렵게 버텨 온 이 일을 절대 놓지 않았다. 놓고 싶어도 손바닥에 붙어서 잘 떨어지질 않았다. '빛을 내는 텔레비전, 빛을 내는 간판, 빛을 내는 사람들, 빛을 내는 나…' 빛이 날수록 그림자가 깊어진다는 것을 이젠 안다. 그럴싸한 간판들을 세우고 자신을 영업하며 살아가는 삶 속에서 J는 크고 화려한 간판보다 찬찬히 들여다봐야 알 수 있는 작고 간소한 간판을 달고 싶다는 충동을 느낀다. 낮은 조도의 조명, 작지만 단정한 글씨가 적힌 간판을.

J는 자신이 처음에 전구였던 것을 떠올린다. 다만, 아직 늦지 않았기를 바라면서.

시간을 자르고
이어 붙일 수 있다면

밤 열 시가 넘은 시각, 버스에서 내려 발을 바삐 움직인다. 찬바람에 내어놓은 코가 시린 줄도 모르고 주머니 속 열쇠만 손끝을 더 차갑게 만든다. 또각, 또각, 또각. 조용한 골목길에 들어서자 발걸음 소리는 점점 커진다.

'내가 왔다는 걸 벌써 알았겠지. 더 서두르자.'

집 앞에 도착해 열쇠 구멍에 열쇠를 넣기 무섭게 안에서 들려오는 가느다란 목소리. 현관 앞에 바짝 붙어 날 부르는 소리. 작지만 분명한 소리. 내 마음을 긁어대는 소리. 내가 이러려고 널 데려온 건 아닌데. 속상하면서도 목소리를 들으면 왠지 마음이 놓이는 이상한 기분. 문을 열고 들어가면 소리를 지르며 내 발에 바짝 따라붙는 나의 고양이.

"오구 겨울아 오래 기다렸찌? 오구, 오구, 그래쩌~"
나는 혀가 짧아져 인간은 알아듣지 못하는 소릴 내고, 겨울이는 고양이의 소리를 내며 누구보다 완벽한 소통을 한다. 그냥 반갑다는 뜻.

거실에 털썩 주저앉으면 겨울이는 내 온몸에 이마를 치댄다. 그리고는 무릎에 올라와 한참을 그릉그릉 대기 시작하는데, 나는 그대로 거실에 발라당 누워버린다. 겨울이는 내 배 위에 올라와 발을 대고 한참을 꾹꾹이를 한다. 이럴 때 뱃살의 쓸모를 깨닫는다. 원 없이 꾹꾹이를 하고 나서는 배 위에 자리를 잡고 누워

휴식을 취한다. 꽤 요란스러운 광경이지만 이 정도는 해야 '제대로 반가움을 표현했군.' 싶다. 성대한 집사 맞이 환영회가 끝나면 긴 시간 혼자 있었던 시간을 얼른 잊어버리도록 겨울이가 좋아하는 간식을 주고 사냥놀이까지 한다.

잠시 화장실에 가기라도 하면 문 앞에서 울어대다가 주저앉아 기다리고 있는 겨울이를 보면 마음이 아프다. 그나마 바쁘지 않은 시기에는 붙어있는 시간이 많지만, 일을 할 때면 늦은 밤까지 겨울이를 혼자 두는 일이 생기고 만다. 게다가 나는 일이 아니어도 사람을 만나러 밖에 나가 있을 때가 잦으니까.

겨울이에게 나는 세상의 전부일까. 이 공간이 겨울이에겐 유일한 세계고, 이 공간을 공유하는 나는 유일한 동반자겠지. 아마도 내가 없다고 생각하면 두려울 수밖에 없을 거야. 이미 겨울이를 우리 집에 데려와야겠다고 결심한 그 순간부터 내가 이기적인 사람이란 건 자명하다. 그래도 결국 우리는 만났고, 함께 하게 됐다. 계속 겨울이랑 잘 맞춰나가며 살아가는 수밖에 없다.

곁에 누워있는 겨울이를 보며 매일 생각한다. 시간을 자르고 이어 붙일 수 있다면. 겨울이의 시간 속에서 혼자 보내는 시간을 잘라내고 함께 있는 시간만을 이어 붙여 놓고 싶다고. 겨울이의 기억 속에는 내가 늘 곁에 있었던 것처럼 말이다. 물론 겨울이에게 혼자만의 시간이 필요하다면 조금 남겨두고.

겨울이와 함께하는 겨울밤은 깊어 간다.

"겨울아 옛날이야기 해줄게. 옛날 옛적에 겨울이가 살았는데, 겨울이 되면 겨울밤에 겨울잠을 잤대. 이야기 끝이야."

실없는 이야기를 주절거리다 괜히 엎드려 있는 겨울이의 배 밑으로 손을 넣어본다.

'아~ 겨울이 따뜻하다.'

연필로 또박또박

손으로, 연필로 글을 쓴다는 것은 한 글자 한 글자 신중히 꺼내놓는 일.

'또박또박' : 꼼꼼하고 자상하게.

내일은 연필깎이를 사러 가야지. 서툴게 깎인 연필은 왠지 마음마저 무디게 만드는 것만 같다.

눈이 내렸다. 자세히 보아야 보이던 첫눈과는 달리 생각보다 굵은 눈이 왔다. 싱겁게 흩날리다가 비가 되고, 땅을 적시고, 그치고 말았다. 예전만큼 눈을 기다리진 않지만 스치듯 사라지는 건 아쉽고 속상하다.

빨리 지나가기만을 바라며 지나온 세월이 길어서, 곁에 더 머물러주길 바라는 마음이 어색하게 느껴지곤 했다. 하지만 곁에 더 오래 남아주기를 바라는 일이 많아졌다. 사람들이 많아졌다.

이런 마음을 잘 간직하고 이어나가기만 하면 좋을 것 같다. 잃지 않기를 바라본다.

◇

집 밖에 한 발자국도 안 나가고 싶었지만, 연필깎이를 사고 싶어 견딜 수가 없었다. 잘 깎인 날카로운 연필심으로 글을 쓰고 싶다.

집을 나섰다. 미세먼지가 자욱해 골목길 가로등 밑이 뿌옇게 보였다. 칼칼한 공기를 마시며 문구점에 갔다. 한 번에 못 찾고 헤매다 작고 귀여운 노란색 연필깎이를 찾아냈다.

여기저기 서성이며 연필꽂이와 지우개가 달린 주황색 줄무늬의 연필 여덟 자루, 잘 지워지는 사무용 지우개까지 챙겼다. 계산을 기다리며 두 손 가득 들고 있자니 배가 다 부른 기분이다. 하지만 육체는 배가 고팠기 때문에 집에 가는 길에 분식점에 들러 매운 제육 김밥을 포장했다. 편의점에서 커피와 마카롱도 골라왔다.

맵고, 쓰고, 달콤한 것들을 잔뜩 먹고 잘 깎인 연필로 글을 쓰고 있으니 미세먼지를 뚫고 나갔다 온 것이 아주 뿌듯하다.

오늘의 목표는 다 이룬 셈이다. 뾰족했던 연필이 쓰면 쓸수록 뭉툭해졌고, 그것 나름대로 기분이 좋다.

◇ 연필의 단점
 : 너무 잘 번진다. 한 페이지에 채워 넣은 글자들이
   맞닿는 옆 페이지에 자국을 남긴다. 자꾸 번지면서
   글자들이 희미해지고 만다.

◇ 연필의 장점
 : 생각도 잘 번진다. 한 페이지를 채우고 채 몇 초가
   지나지 않아 또 쓰고 싶은 말이 생각난다.
   금세 다음 페이지로 생각이 번지고 채워진다.

◇ 걱정되는 점
 : 연필을 밖에서도 쓰려면 연필깎이를 들고 다녀야
   하는 걸까. 아주 작은 사이즈의 연필깎이를
   구해봐야겠다.

환상의 나라로 오세요

그 시절에 나는 여느 대학 신입생들이 그렇듯 잔뜩 고양된 상태였다. 풋내기가 가질 수 있는 희망이나 신선함이 숨을 쉴 때마다 몸 안에 스며들었던 걸까. 평일엔 학교에 다녔고 주말에는 아르바이트를 하며 지냈다. 일주일이 알차고 단단해서 만족스러운 생활을 영위하고 있었다.

캠퍼스에서는 동기들과 별것 아닌 주제로도 열띤 이야기를 나눴다. 마치 비눗방울 기계처럼 가치관이랄까 목표나 미래, 연애나 패션 따위의 환상을 가득 뿜어내곤 하면서. 투명한 비눗방울은 그 자체로 예쁘긴 했지만, 허공을 조금 부유하다가 곧 터져버리고 말았다. 나는 그걸 알면서도 나름 즐기고 있었다.

이런 생활을 가능케 하는 건 주말의 나였다. 단 이틀을 일하는 보수치고는 꽤 많은 돈을 벌었기 때문에 여유로운 마음을 유지할 수 있었다. 평일에 마음껏 남발한 비눗방울이 얼마나 꿈결 같은 것인지를 온몸으로 깨닫는 시간이기도 했다.

토요일 새벽이면 나는 반쯤 잠들어있는 상태로 어둠에 잠긴 거리를 지나 술막다리로 향했다. 술막다리는 개천에 놓인 허름한 다리였다. 다리 근처 주막촌을 술막이라고 부르면서 붙은 이름이랬다. 마을과 시내를 연결하는 중요한 길목이기도 했지만, 중심가로 바로 연결되는 다리에 밀려 도시의 뒷골목 모양새를 한 곳이었다.

그곳에서 잠을 이겨내며 서 있다 보면, 정확한 시간에 핫핑크나 진한 초록색이 덧칠해진 거대한 버스가 어스름한 새벽안개 사이로 몸을 드러냈다. 버스 안에는 다양한 연령의 사람들이 졸거나 속닥거리며 앉아 있다. 버스는 개발되지 않은 작은 마을을 관통해 달렸다. 까무룩 잠이 들었다가 눈을 뜨면 어느새 버스는 종착지에 도착해있었다. 도시 외곽에 자리 잡은 거대하고 웅장한 이곳은 주변 풍경의 삭막함과 대비돼 신기루처럼 느껴졌다.

버스에서 내린 일행은 궁전 모양을 본뜬 정문이 아닌 뒷문으로 향했다. 환상의 나라로 이어지는 은밀한 비밀통로였다. 정글처럼 나무가 우거진 흙길을 따라 걸으면 회색 컨테이너 건물이 한 채 나왔다. 그곳에서 사람들은 줄을 서서 형형색색의 옷을 받아왔다. 노란색 벨벳으로 된 마법사의 옷, 나뭇잎 무늬가 프린팅된 모험가의 옷, 반짝이는 재질로 만들어진 하늘색 우주복. 판타지 영화의 주인공들이나 입을 법한 옷이다. 나는 온몸을 덮을 만큼 길고 품이 넉넉한 남색 망토를 받았는데, 가장자리에 들어간 금장 무늬가 멋스러운 집사의 옷이었다.

내가 일하는 곳은 환상의 나라, 라고 불리는 놀이동산이었다. 나는 오래된 저택을 테마로 한 유령의 집에서 근무했다. 4인용 열차를 타고 달리면서 레이저 총을 쏴서 점수를 얻는 식의 놀이기구였는데 인기가 있는 시설은 아니었다. 레일을 따라가면 양옆에 중세시대 갑옷이라든지, 고풍스러운 테이블에 앉아있는 해골이랄지, 거미줄이 앉은 금고 등의 해괴한 조형물들이 움직여 댔고 사람들은 그 공간에는 영 어울리지 않는 크고 투박한 총으로 초록색 불빛을 조준했다. 아이들이 좋아했지만 애매하게 키 제한이 있었고, 유령의 집이라고 해서 공포를 기대하고 들어온 어른들은 조금 실망한 채 나서는 곳이었다. 실제로 무서울 건 하나도 없었기 때문이다.

나는 무거운 망토를 둘러매고 아침마다 저택의 앞마당을 쓸었다. 밤새 나뭇잎들이 떨어져 입구로 향하는 길목 곳곳에 들러붙어 있었다. 손님들이 입장하기 전의 놀이동산은 휑뎅그렁했다. 스피커를 통해 나오는 경쾌한 음악 소리가 지나치게 선명해서 이곳이 현실과는 멀리 동떨어진, 하지만 너무나도 현실적인 공간임을 느끼게 했다.

놀이동산이 문을 열기 전부터, 문을 닫은 이후까지 저택을 지켰다. 파도처럼 밀려드는 손님들 앞에서 손을 흔들고, 안내를 하고, 무섭지 않은 이야기를 무섭게 들려주고, 어설픈 마술을 보여주고, 사람들을 놀이기구에 태우고, 내려주고, 저택 구석구석을 청소하고, 질문이 많은 손님을 만나면 친절하게 적절한 답을 해주면서.

즐거워하는 사람들을 보는 건 재미도 있고 보람찬 일이었지만, 지나치게 알록달록하고 생기 넘치는 이곳에서 동심의 힘으로도 도저히 감당하지 못할 만큼 못된 성정을 가진 사람들을 많이 만났다. 그건 아마도 어마어마한 숫자의 사람들이 이곳을 찾는 만큼 이상한 사람을 만날 확률도 덩달아 높아졌기 때문일 것이다. 같이 일하던 언니는 저택 입구에서 난데없이 뺨을 맞은 적도 있었고, 누군가는 멱살을 잡혔다. 나도 안내판을 가리고 서 있었다는 이유로 내동댕이쳐진 적이 있다.

비 오는 어느 날에는 식당으로 향하던 길에 손님의 우산과 나의 우산이 살짝 부딪치는 일이 있었다. 대수롭지 않게 돌아보던 그가 나를 위아래로 훑어보더니 직원의 복장인 걸 알아채고는 분노의 표정으로 얼굴을 일그러트리는 순간을 목격한 뒤로 인간은 정말 무섭고 위선적인 존재라는 걸 깨달았다.

우리가 입는 옷을 '무대 의상'이라고 불렀는데 마치 그 무대 의상을 입으면 만화영화나 연극에 나오는 등장인물이 되는 건 아닐까 싶었다. 가상의 등장인물이기에 함부로 대하는 것이 허용되는 것 같았다. 상해를 입지 않는 홀로그램 같은 존재, 같은 말을 반복하고 늘 그 자리에 서 있는 게임 속 NPC 같은 존재. 그들에겐 무엇을 휘둘러도 절대 다치거나 사라지지 않기에 죄책감을 가질 필요가 없는 것이다. 해리포터에 나오는 투명망토처럼 남색 망토를 입으면 원래의 내가 지워지는 걸까 생각했다. 이곳에서의 나는 미스터리한 저택 내부에 놓인 조형물과 크게 다르지 않은 듯 했다.

조형물이었다가 다시 사람이 되는 순간은 휴게실에서 잠시 쉴 때였는데, 특수한 공간이 주는 힘이 있는 건지 함께 일하는 동료들과 엄청나게 친밀한 사이가 됐다. 어두운 레일 안쪽을 함께 돌아다니며 점검을 하거나 손님이 뜸해진 시간에 놀이기구에 걸터앉아 이런저런 얘기를 나눌 때, 폐장 시간을 앞두고 손님들이 쫙 빠진 틈에 뒷골목에 모여 서서 폭죽놀이를 구경할 때. 이런 순간들은 실제로 환상의 나라의 주민으로 살면서 겪었던 어떤 추억처럼 아스라이 남아있어서 살면서 자주 그립다.

근무를 마치면 망토를 벗는다. 다시 정글을 통과해 뒷문을 통해 바깥세상으로 나와 집으로 향한다. 마법에서 풀려나듯이 그 변화가 분명해서 살짝 멍하기까지 하다. 몸의 기력이 다 빠져나간 기분이 든다.

셔틀버스를 타고 술막다리로 돌아왔을 때 색을 잃은 무채색의 다리와 으슥한 시장 뒷골목이 너무 차갑고 현실적이어서 소름이 오소소 돋곤 했다. 온종일 들었던 '환상의 나라로 오세요- 즐거운 축제가 열리는 곳- 모험의 나라로 오세요- 영원한 행복의 나라-'하는 노래가 귀에 쟁쟁댔다. '영원한 행복의 나라'라는 표현이 뭔가 기괴하다는 생각을 하며 집으로 비척비척 돌아간다.

방학에는 풀타임으로 근무하고 다시 학기가 시작되면 주말 타임으로 전환하는 식으로 일을 하다가 신입생의 티를 완전히 벗을 때쯤 그곳을 그만뒀다. 이십대 초반의 나는 학생으로서의 나, 놀이동산에서의 나 두 가지 모습으로 구분되어 있는데, 시간이 지나고 보니 그 두 모습은 너무 닮아있어서 내가 환상적인 것에 꽤 많은 시간을 할애했구나 싶었다. 현실적인 와중에 환상을 가지는 것. 혹은 환상 속에 존재하는 현실 같은 것들에게.

그런 경험은 어떤 환상은 치열함에서 온다는 것을 일깨워주곤 한다. 아무리 치열해도 환상을 잃지 않을 수 있다는 것도.

여전히 내가 실체가 없는 존재처럼 지워지는 순간들이 있다. 환상의 나라가 아닌 곳에서도 마찬가지였다. 하지만 비눗방울처럼 목적 없이도 아름다운 것들을 뿜어낼 수 있을 만큼의 낭만을 잃지 않은 것에 안도하는 사람이고 싶다.

독이 오른 마음,
잘 닦아내기

나는 옷에 묻은 얼룩을 대충 닦아내곤 하는데, 이 경솔한 행동은 얼룩을 더 깊게 남기곤 했다. 털털하게 굴고 싶었던 것뿐인데 나중에 가서는 지워지지 않는 얼룩을 보며 그때 왜 더 잘, 확실히 닦아내지 않았을까 후회하는 식이다. 자국은 시간이 지날수록 원래 그 자리에 있었던 것처럼 완전히 스며들어 버린다. 여러 번 빨아도 마찬가지다. 결국 아끼던 옷도 잠옷이 되거나 당장 버리기엔 아까워 어딘가에 처박아두었다가 잊히고 결국엔 버려지고 만다.

가슴팍에 빨갛게 물든 김칫국물을 보며 마음도 마찬가지가 아닐까 생각한다. 옷에 묻은 얼룩이 잘 지워지지 않는 것처럼 독이 묻은 마음을 닦아내는 일도 쉽지 않다. 옷에 묻은 얼룩이야 어떤 걸 묻혔는지에 따라 지워내는 방법도 가지각색이지만, 어디서 어떻게 묻었는지 모를 마음의 독을 잘 닦아내는 방법이란 게 정해져 있을 리 없다. 정답은 없다지만 마음은 외투보다는 더 소중한 것이니까 대충 닦아내고 대충 털어내며 살 수는 없는 노릇이다.

그래서 나는 마음을 물들인 지저분한 감정의 얼룩들을 들여다보기로 했다. 주로 뭘 묻히는지, 안 닦아내고 대충 넘어간 얼룩은 뭐가 있는지. 바쁘게 살다 보니 뭔가 묻은 걸 뻔히 알면서도 모른 척하고 넘겨왔다는 생각이 든다.

참아야지, 웃어넘겨야지 하며 나의 속마음을 무시했던 적이 많다. 다른 사람의 속마음을 읽어내고 헤아리려고 애를 쓰면서도, 정작 내가 하고 싶은 말은 꺼내지도 못한 채 입을 꾹 다물고 가슴에 담아두기도 했다. 하고 싶은 것도 많이 묻어두고 살았다. 감정을 흘러가는 대로 두지 않고 마음속에 고이게 두었다.

솔직하지 못했던 것이다. 남이 나에게 묻힌 얼룩보다 내가 흘린 얼룩이 더 많았다. 나에게 가슴 아픈 말을 던진 이보다도, 그 말을 듣고도 스스로를 살피지 못했던 자신을 원망하는 마음들.

한 번에 달라질 순 없겠지만, 나를 조금 더 잘 돌보기로 했다. 찰나에 스쳐 가는 나의 마음속 목소리도 한 번 더 곱씹기로 했고, 내뱉지 못하고 넘긴 말들이 응어리가 되지 않도록 잘 풀어서 분명하게 전하기로 했다. 슬플 땐 제대로 울고 기쁠 땐 아낌없이 웃기로 했다. 그리고 무엇보다 나의 감정을 마주할 때 쭈뼛거리지 않기로 했다.

발현되지 못한 채 어물쩍 넘겨버린 감정들을 지워지지 않는 얼룩으로 남겨두고 싶지 않다. 마음에 진한 감정들이 고이고 고여 진한 자국으로 남아 결국 지워낼 수 없는 그림자가 되지 않도록 흘려보낼 것은 흘려보내기로 했다. 바로 지워야 하는 얼룩을 더는 미루지 않고 바로 지워내기로, 약속해본다.

원점으로의 여행

눈을 뜨고 주변을 둘러보자 내가 어디에 와 있는지 서서히 자각되기 시작했다. 빨간색 커튼 틈으로 햇살이 내리꽂히듯 들어오고 있었다. 잠시 눈을 감고 어제의 풍경들을 떠올려본다. 비현실적인 아야소피아 성당과 블루모스크. 그 사이 거리에 앉아서 오래된 건축물을 바라보며 생각했다. 사실 저건 진짜가 아니라 엄청나게 거대한 무대 배경 판자를 세워둔 게 아닐까 하고. 그만큼 내가 이곳에 와 있다는 사실이 믿기지 않았다.

나는 아직 잠들어있는 H를 바라봤다. 고단한 몸을 일으켜 그를 깨운 뒤 함께 조식을 먹었다. 오늘은 이스탄불에서 가장 큰 바자르에 갈 예정이었다.

바자르는 시장이라곤 하지만 그 정도의 단어로 설명되는 규모가 아니었다. 다른 세상에 들어온 것만 같았다. 셀 수 없이 많은 물건과 방문객들로 가득 찬 거리가 미로처럼 펼쳐졌다. 그중 가장 눈에 들어오는 건 등이었다. 알록달록한 유리를 모자이크 형식으로 장식한 등이 한 집 건너 한 집마다 주렁주렁 매달려 있었다. 불을 밝힌 등은 따뜻한 빛을 내뿜고 있었고, 그 때문인지 몰라도 바자르 골목이 몽환적으로 느껴졌다.

등을 하나 사야겠다고 결심했다. 집에 걸어두면 이 순간을 영원히 간직할 수 있을 것만 같았다. 하지만 남은 여행이 길었고 짐을 늘릴 수 없었기에 그날은 빈손으로 그곳을 떠났다. 터키 어디에서든 등을 파는 가게를 만날 수 있다는 믿음이 있었기 때문이다. 다른 여행지에서 마음에 쏙 드는 등을 발견할 수도 있을 터였다.

하지만 이스탄불을 떠나 카파도키아, 페티예, 파묵칼레를 거치는 긴 여정에서도 나는 등을 사지 못했다. 마음에 드는 게 딱히 없기도 했지만, 마땅히 이때다 싶은 타이밍이 없었다. 그러다 결국 터키를 떠나 아주 거대한 배를 타고 그리스 섬, 산토리니로 넘어가게 됐다. 그리스를 여행한 뒤 다시 이스탄불로 돌아올 계획이었기 때문에 그다지 아쉬움은 없었다. 더군다나 살면서 이토록 아름다운 지중해 섬에 와볼 기회가 있을까 하며 기대감으로 들떠있는 상태였다.

행복하지 않으면 반칙이라 여겨도 될 만큼 완벽하고 하얀 섬에서 H와 나는 크게 다퉜다. 그동안 쌓여오던 것이 터진 것이다. 여행 첫날 내가 챙겨온 캐리어의 바퀴가 고장 나는 바람에 H가 꽤 고생했었다. 그는 '그러게 왜 가져가지 말자는 캐리어에 짐을 챙겨서는 이 고생하게 만드냐'는 얘기를 지난 2주 내내 해왔는데, 나는 처음엔 미안함, 이후엔 민망함과 후회, 결국엔 바퀴가 고장 난 게 내 탓도 아닌데 이렇게까지 시달려야 하는지 억울함이 치밀었다. "항상 이런 식이야. 캐리어 하나 때문에 여행을 망치는 게 말이 돼?" 우리는 언성을 높이며 싸웠다. 캐리어를 내다 버리고 싶은 심정이었다. 나는 파란색 지붕의 숙소를 박차고 나와 혼자 버스에 올랐다.

혼자 하는 여행도 나름 나쁘지 않았다. 좁은 골목길의 울퉁불퉁한 돌길을 걷고 또 걸었다. 유명하다는 요거트도 사 먹고 기념품 가게도 구경했다. 불쑥 고장 난 캐리어 생각이 나서 홧김에 가방 가게에서 큰 배낭을 사버렸다. 캐리어는 버리고 이젠 배낭을 메고 다녀야 겠다고 생각했다. 그는 처음부터 배낭만 메고 여행하고 싶어 했으니까.

세상에서 두 번째인가 세 번째로 손에 꼽힌다는 일몰을 보기로 했다. 우리가 이곳에 오면서 가장 기대했던 풍경. 그 아름다운 일몰을 혼자 보게 될 줄이야. 버스를 타기 위해 정류장으로 향했고, 마침 순환 버스 한 대가 다가오고 있었다. 버스 창문으로 하얀색 셔츠가 언뜻 비쳤다. 뭔가 찌릿한 느낌이 들고 심장이 두근대기 시작했다. 설마. 버스가 멈추고 뒷문이 열렸다. 그리고, 그가 내렸다.

운명이란 이런 걸까. 아주 잠깐 저 버스에 H가 타고

있다면 어떨까. 오늘 내가 본 것들을 그에게도 보여줄 수 있다면 얼마나 좋을까. 내가 느낀 복잡한 감정에 대해 털어놓고 싶다고 생각했던 찰나였다. 우리는 서로를 바라보며 가만히 서 있었다. 마음의 절반은 그를 원망하는 마음이, 절반은 우리의 끊어지지 않는 관계에 대한 속절없음이 차지했다. 우리는 말없이 함께 걷기 시작했다.

혼자 걸어 내려왔던 길을 그와 함께 다시 걸어 올라갔다. 그렇게 내가 봤던 것들을 다시 한 번 그와 함께 봤다. 일몰을 바라보며 생각했다. 어떻게 해서든 다시 만나게 되는 우리를, 헤어지고 얼마 지나지 않아 또다시 서로를 맹렬히 찾는 우리의 관계에 대해서. 빨갛게 퍼지는 노을처럼, 서로에게 진한 기억을 또 하나 남겼다는 사실을 깨달았다.

뻔하고 유치하지만 그래서 더욱 사랑으로 기억될 추억들. 이런 추억들이 층층이 쌓여갈수록 서로를 더 놓지 못할 거라는 것도. 어느 저녁에도 마찬가지였겠지만, 해가 바다에 닿았다. 사람들은 그 찰나를 놓치지 않고 사진을 찍기 시작했다.

여행은 다시 이스탄불로 돌아오며 마무리됐다. 사고 싶었던 등도 살 수 있었다. 처음 방문했던 그 바자르에서. 과일 가게에서 제일 싱싱한 과일을 고르듯, 북새통 속에서 겨우 하나를 골랐다.

우리의 관계도 다시금 원점으로 돌아왔다. 누가 그랬던가. 사랑하는 사람과 먼 곳으로 긴 여행을 떠나보면 그 사람의 진짜 모습을 알 수 있다고. 나는 그의 어떤 면을 알게 된 걸까. 굳이 먼 곳까지 찾지 않아도 알 수 있는 것들이었을지도 모른다.

우리는 구태여 여행이 끝날 때까지 망가질 대로 망가져 버린 캐리어를 버리지 않았고, 그 캐리어에 새로 산 등을 꼼꼼히 포장해서 담아 비행기 수화물로 부쳤다.

마음에도 블루라이트 차단
안경을 씌울 수 있다면

별명이 '장매'였던 적이 있다. 고등학생 때였는데 신체검사에서 시력이 왼쪽 1.5, 오른쪽 1.5가 나왔고, 친구들은 나의 성씨인 '장'과 시력이 좋기로 유명한 조류 '매'를 합쳐서 그렇게 불렀다. 시력이 좋은 애들이 몇 없다 보니 그게 되게 대단한 일로 치부됐다. 자주 불리진 않았지만 내가 아주 멀리 있는 간판을 읽거나 사람을 찾아내면 어김없이 "오오~ 장매~~" 식의 환호를 받는 거다. 나이를 먹어가면서 예전만큼은 아니었지만 좋은 시력을 곧잘 유지했다.

그런 내가 안경을 샀다. 안경원에 가서 당당히 말했다.

"블루라이트* 차단 안경 맞추려고요."

간 김에 혹시 몰라 시력 검사도 하기로 했다. 결과는 1.5, 1.2였다. 이게 뭐라고 좋은 학점을 받은 대학생처럼 뿌듯하다.

"시력 교정 렌즈는 안 넣어도 되겠어요. 디자인 고르고 말씀해주세요."

설레는 마음으로 다양한 디자인의 안경들을 하나하나 써봤지만, 거울 속의 나는 우스꽝스러워 보일 만큼 안경이 정말 안 어울렸다. 새삼 시력이 나쁘지 않아서 정말 다행이라는 생각이 들었다.

갑자기 눈을 지켜야겠다는 결심이 들었던 건, 시력은 잃고 나면 되돌릴 수 없다는 걱정과 동시에, 시력이 나빠진다면 그건 바로 지금일 거라고 직감했기 때문이다. 직장에서 하루에 기본 열두시간이 넘도록 노트북 화면을 들여다보며 일을 했는데, 눈이 점점 침침해지는 느낌을 받았다. 조금 더 구체적으로 설명하자면 당시 나는 사람들의 사연을 받는 TV 토크쇼 작가로 일하고 있었다. 몇 년간 누적된 사연들과 새로 들어온 사연들을 (그 촘촘하게 긴 글을) 모니터를 통해 읽어야 했다. 사연을 보낸 이들과 두 시간이 넘도록 전화 통화를 하며 취재를 했다. 그 내용을 정리한 문서 파일도 정말이지, 분량이 무지막지했다.

그러니까 나의 눈은 하루 열두시간 동안 모니터 속 글자를 읽어내야 했다. 말이 열두시간이지, 어떤 일이라도 매일 그렇게 하면 몸의 어딘가는 망가지게 돼 있다. 나는 제일 처음 내 몸에서 어딘가 망가진다면 그건 눈일 거라고 생각했다. 비슷한 마음인지 동료 작가 중에도 블루라이트 차단 안경을 쓰는 사람이 몇 있었다. 식사 후 여담을 나눌 때면 루테인이니, 비타민이니, 눈에 좋은 영양제가 화두에 오르는 건 다반사였다.

상황이 이렇다 보니 블루라이트 차단 안경을 산 것만으로도 이미 시력 감소를 절반쯤 막아낸 것 같았다.

출근해서 짐짓 자연스럽게 안경을 써보았다. 처음엔 뭔가 대단한 장비를 갖춘 것처럼 마음이 든든했는데 긴 시간 동안 쓰고 있으려니 콧잔등이 무겁고 얼굴이 갑갑하다. 차차 적응하겠지 싶어 일부러 더 쓰고 있어 봤다. 왠지 눈이 조금 덜 피곤한 것 같기도 하고? 괜히 안경을 쓴 것과 안 쓴 것을 비교해보려고 안경을 위아래로 치켜올렸다 내렸다 하며 모니터가 어떻게 달리 보이나 테스트를 해보기도 했다.

그런데 예상외로 좋은 점은 따로 있었다. 점점 생기와 열의를 잃어가는 눈빛이 외부에 드러나지 않도록 슬쩍 차단하기에도 좋았고, 무표정으로 딱딱하게 굳어진 얼굴도 알이 큰 안경이 다 가려줬다. 오히려 밖으로부터 뭔가를 막아내는 것보다 나의 무언가를 외부에 노출하지 않도록 보호하는 용도로써 유용하단 생각을 했다.

그렇게 평생 써보지 않던 안경을 쓰면서 그 뒤에서 한숨, 한숨 조금씩 쉬었다. 시력에 실제로 도움이 있었는지는 확인할 길이 없다. 그렇다고 믿는 수밖에. 시력을 지키기보다는 그저 몸이 망가지지 않도록 노력

하는 자신의 모습에 위안을 얻었는지도 모른다. 솔직히 말하면 나를 통째로 잃어가는 와중에 시력 하나 지키려고 했던 게 지금 생각하면 아찔하기도 하다. 그땐 미처 몰랐지만.

그곳에서 일하면서 너무 많은 이야기를 들었다. 그들의 고민을, 우울을, 고통을, 눈물을, 권태로움을, 허무함을, 분노를, 배신감을, 사랑의 변질을, 폭력을, 증오를 들었다. 좋은 사연을 다루는 곳이 아니었기 때문이다. 그들로부터 감정의 블루라이트가 직사광선으로 쏟아졌다. 우울의 색깔이었다. 눈으로, 귀로, 마음으로. 눈보다 귀가, 귀보다 마음이 괴로운 날이 더 많았다. 집으로 향하는 지하철이나 택시 안까지 수많은 얼굴이 쫓아왔다. 그 사람 괜찮은 걸까. 내가 듣지 못한, 나에게 꺼내놓지 않은 다른 부분은 멀쩡할까. 그들의 삶은 지금 어떻게 흘러가고 있는 걸까. 이런 내용이 TV에 나가도 되는 걸까. 우리가 그 사람을 이용하는 건 아닐까. 그 사람의 인생이 너무 가볍게 소비되는 건 아닐까. 이런 고민이 2막, 3막 끝나지 않을 연극으로 상연됐다.

두통이 잦아졌다. 처음엔 가슴 아픈 사연을 듣고 남몰래 눈물을 흘리곤 했는데, 그렇게 일하다간 내가 다망가질 것 같았다. 제일 두려웠던 건 무감해져 가는 것이었다. 질문하는 나의 목소리가 점점 단조로워졌고, 잔뜩 엉클어져서 처음과 끝을 알 수 없는 그들의 문장을 툭 잘라내고 되묻기도 했다. 눈이야 블루라이트 차단 안경으로 지킨다지만, 하루 열두시간 열려있는 마음은 지킬 방도를 찾지 못했다.

그나마 나로 인해 그들이 조금은 속이 시원하기를, 해결의 실마리를 찾길 바랐다. 모든 목소리가 평안해지기를 간절히 바랐다. 그런 바람만이 그나마 나의 마음에 씌울 수 있는 '절망 차단 안경'이었다. 안경을 오래 쓰면 얼굴에 자국이 남는다는 걸 안다. 내 마음에도 그런 자국들이 있다.

그래도 그들의 문제가 해결됐다는 소식을 듣거나, 긍정적인 변화가 생겼을 땐 진심으로 기뻤다. 그 프로그램에서 짧지 않은 시간을 일할 수 있었던 건 어쩌면 그들의 달라진 목소리를 들을 수 있었기 때문일지도 모른다. 그만둔 이후로도 다른 프로그램에서 일을 했지만, 노트북을 그렇게 오래 바라보는 일은 없었다. 자연스럽게 안경을 쓸 일은 줄어들었다.

사람의 이야기를 들으며 괴로워했지만, 결국 또 사람을 궁금해하고 사람의 이야기를 쓴다. 우연의 장난인지 매번 사람의 이야기를 담는 프로그램에서 일하거나, 아니어도 그런 아이템을 맡게 된다. 주변에서는 열이면 열 "혜영이가 또..!"라고 반응한다. 누군가 어떻게 그럴 수 있냐고 물으면, "운명인가 봐요. 흐르는 대로 가려고요."하고 농담처럼 답한다. 물론 완전히 농담은 아니다. 에세이를 꾸준히 읽고 쓰는 요즘, 위의 대답은 거의 진심에 닿아있다.

나는 이제 글을 쓸 때 그 안경을 쓴다. 책상에 앉아 노트북 화면을 노려보고 있자면, 막막한 백지와 나 사이에 가림막 하나 정도는 있어야 할 것 같은 기분이 드는 것이다. 마음에 남은 자국들을 더듬는 심정으로 한 자, 한 자 써나간다. 안경을 쓰고 백지 위에 글자를 새겨가다 보면 살짝 번지는 듯했던 글자들이 더 또렷해지는 것 같기도 하다.

* 블루라이트 :
컴퓨터 모니터 · 스마트폰 · TV 등에서 나오는 파란색 계열의 광원으로,
지나치게 많이 노출되면 눈 건강이 나빠질 우려가 있다.

모호하지만 분명한 것

모호한 걸 싫어하지만, 어쩔 수 없이 모호한 것들이 있다. 그중 하나는 '기운'이 아닐까 싶다. 사전에는

1. 생물이 살아 움직이는 힘
2. 눈에는 보이지 않으나 다른 감각으로 느껴지는 현상

이렇게 나와 있는데, 역시 눈에 보이지 않는 것들이라 부가 설명이 덧붙여져야 할 것처럼 모호하게 느껴진다.

그래도 굳이 기운에 관해 쓰자면, 나는 요 며칠 기운이 없었다. 자는 데에 많은 시간을 할애했고 무력했다. '무력'은 '힘을 기울이다'와 '힘이 없다', 라는 중의적 의미를 지니고 있다. 어떻게 보면 힘을 너무 기울인 나머지 다 빠져나가 버린 걸지도 모른다. 어쨌든 나는 잠에서 깨어나도 또 잠들고 싶었다. 매일 글을 쓰자는 3월의 목표가 무색하게 며칠 동안 글을 쓰지 않았다. 외면하고 싶었던 거다.

기운이라는 걸 어떻게 잃고, 어떻게 채우는지 그 방법의 정석이라는 건 없지만 글자의 모호한 의미만큼이나 채워지는 방식도 모호할 때가 있다. 물론 든든하게 끼니를 챙겨 먹기, 운동하기, 긍정적으로 생각하기, 등등. 정석의 모양을 한 방법이 통하지 않을 때 말이다.

그것은 걷다가 순간 코끝을 스친 봄날의 흙냄새처럼 짧지만 진하게 다가온다. 이를테면, 분위기, 호의, 눈빛, 한마디의 말 같은 것들로 온다. 적어도 나는 사람들에게 이런 것들을 받을 때면 기운이 난다. 어쩌면 기운이라는 것은 충전의 방식을 띠고 있어서 누군가

95

가 가까이에서 에너지를 전해주어야만 채워지는 건 아닐까 생각해본다. 신기하게도 기운이 채워져 있을 때는 깊게 생각지 않던 것들도 기운이 비어 있을 땐 수북한 밥 한 공기처럼 든든하게 속을 채워준다.

글을 쓰는 일이 특히 그렇다. 내가 이런 글을 자주 쓰는 것은 그만큼 글을 쓰는 데에 주변의 에너지가 큰 도움이 된다는 것을 절감해서다. 글을 쓰는 데 필요한 기운 같은 것이 있다면 주요 부분은 스스로 채워야 하는 것이 분명하지만, 다른 사람에게서 받을 수 있는 기운의 양이 고유한 빈칸으로 나누어져 있는 건 아닐까 싶을 정도로 그 공백은 명확하다. 글은 읽히는 것이기 때문에 그런 숙명을 가졌는지도 모른다. 함께 글을 쓰고 나누는 것이 얼마나 의미 있는 일인지 외로움 속에서 더 선연히 깨닫는다.

나의 기운을 돋아나게 한 것은, 내가 쓰는 글이 과연 가치가 있을까 하는 고민에 대해 웃음이 배시시 나올 만한 답변을 해준 선생님의 메일 한 통과 오늘 글쓰기 모임의 분위기가 그러했다. 길을 걸으며 나눈 대화 속에도, 매주 글을 읽어주는 이들이 보내오는 소감에도 기운들이 담겨 있다. 이런 기운들은 급속도로 나를 채웠다가 다시 일정량 덜어내 가기도 하는데, 덜어가고 남은 부분은 내가 채워야 한다. 그 부분을 채우기 위해서 나는 무력(無力)하더라도 다시 무력(憮力)할 수밖에 없도록 스스로 움직인다. 동력이 되는 것이다.

글로 예를 들어 썼지만 사는 일이 그렇다. '생물이 살아 움직이는 힘'의 기운은 '눈에는 보이지 않으나 다른 감각으로 느껴지는 현상'의 기운이 채워주는 것이다. 눈에 보이지 않지만 느껴지는 수많은 감각들이 나를 살아 움직이게 한다.

모호한 것들에 관해서 쓴 만큼 모호한 글이 된 것 같다. 하지만 이 글은 꼭 쓰고 싶었던 글이니까 괜찮다. 여전히 비가 내린다. 미세하게 내리던 비가 굵어졌다. 모호한 것들은 많은 것을 자라나게 하고 깊게 뿌리 내릴 수 있게 한다. 무심코 찾아온 빗방울 덕분에 봄이 오는 것이다.

누구나 어린 날의 기억을
묻어놓은 공간이 있다

우리 집은 구멍가게를 했다. 강원도 사람이 많이 산
다고 해서 '강원도촌'이라고 불리는, 수도권치고는 꽤
시골스러운 동네 초입에 있는 작은 가게였다. 강원도
에서 올라온 젊은 엄마와 아빠의 보금자리였고 정확
히 말하면 엄마의 일터였다.

나의 유년 시절의 기억은 작은 가게 안을 무대로 삼고 시작된다. 두세 명의 손님이 들어오면 북적이는 아주 작은 가게였지만 없는 것이 없었다. 손님은 동네 주민 뿐이어서 누가 오든 모르는 이가 없었기 때문에 엄마는 누구와도 안부 인사와 가벼운 대화를 주고받았다. 싹싹하고 밝은 엄마를 모두가 좋아했던 기억이 난다.

시간이 멈춰 있는 것처럼 가게의 모습은 아직도 내 기억 속에 오래도록 남아있다. 작은 창으로 들어오는 햇빛에 비친 부유하는 먼지들, 팔이 닿는 부분에 가죽이 살짝 벗겨진 주홍색 소파와 수없이 여닫았던 회색 돈통, 구석에 진열된 라면들과 엄마가 가지런히 세워놓은 냉장고 속 음료수, 진열대 사이에 세워져 있던 나의 자전거, 기하학적인 무늬의 천장, 가게 안에서 유리문 너머로 보이던 동네 초입 길목까지. 유독 나의 기억 속에 이 작은 가게가 선명한 것은 내가 이 공간에 앉아 있는 시간이 많았기 때문이다.

엄마가 집안일을 하는 동안은 항상 가게를 봐야 했다. 한창 밖에 나가서 뛰어놀길 좋아하던 나는 그게 참 고역이었고, 산과 논밭으로 쏘다니던 나에게 "너네 엄마가 너 찾아."라고 전해주는 동네 친구들이 제일 얄미웠다. 어떨 때는 엄마가 가게 앞에서 내 이름을 아주 크게 부르기도 했는데, 신기하게도 동네 어느 구석에 있든 엄마의 목소리가 아주 잘 들렸다. 그럴 때는 신나게 놀다가도 친구들을 뒤로하고 터덜터덜 가게로 향해야 했는데 괜히 심술이 나서 애꿎은 손님들에게 퉁명스럽게 거스름돈을 건네기도 했었다.

그렇다고 해도 마냥 싫기만 했던 건 아니었다. 구멍가게 딸이라고 하면 부러워하지 않는 애들이 없었다. 군것질을 그렇게 좋아하진 않았지만 더운 여름날에는 하루에 한번 먹고 싶은 아이스크림을 먹을 수 있었다. 빵에 들어 있는 스티커를 모으는 것도 친구들보다 손쉬웠다. 집에 있는 전신 거울이 스티커로 빼곡했을 정도였다. 가게를 보는 시간에 책을 읽을 수 있는 것도 좋았다. 그 시간 동안 혼자 생각에 빠져있을 때가 많았는데, 어른들이 사색이라고 부르는 행위를 그때 일찍이 터득했던 것 같기도 하다.

밤 열한 시가 되면 가게 문을 닫았다. 하지만 우리에게는 퇴근길이 따로 없었다. 가게 옆으로 난 나무 창살문을 열면 바로 집으로 연결됐기 때문에 그 가게는 곧 우리 집이기도 했다. 나무문을 열면 나오는 작은 방이 나의 방이었다. 방 귀퉁이에 나 있는 작고 네모난 창문으로 햇살이 비추면 방이 온통 주황색으로 차오르는 좁은 공간이었다. 방이라기보다는 집으로 통하는 통로에 더 가까운 공간이었다.

그 작은방에 누워 매일 마음속으로 독립된 나의 방을 갖게 해달라고 빌었다. 가게와 집을 잇는 통로 같은 방 말고, 문이 하나만 달린 번듯한 내 방. 그때의 나는 멋진 아파트나 빌라에 사는 친구들을 부러워하기도 했고, 친구를 집에 데려오는 것을 부끄럽게 생각하기도 했다.

시간이 지나 내가 중학교에 갈 때쯤 엄마는 일이 힘에 부쳐 가게 문을 닫았고, 같은 동네에 있는 오래된 빌라로 이사를 했다. 내가 대학생이 되고 근처 신축빌라로 한 번 더 이사를 했다. 여전히 부모님은 그 동네에 살고 있다. 언제든 추억이 깃든 동네를 산책할 수 있지만, 그때의 구멍가게는 이제 만날 수 없다. 가게가 철거되고 빌라가 들어섰기 때문이다.

나에게 그 어떤 집보다 구멍가게 집에 대한 향수는 진하게 남아있다. 여름밤이면 가게 옆에 있던 평상에 드러누워 밤하늘을 바라보던 기억, 높지 않은 가게 옥상에 올라 혼자 시를 끼적이던 기억, 작은 동네를 모험하는 마음으로 뛰어다녔던 한낮의 열기, 작은 내 방에 엄마와 함께 누워있던 기억, 그때 들었던 자장가, 특이한 집 구조가 상상력을 자극하던 숱한 밤들.

오랜 시간이 지나 더 애틋해진 그때의 추억들이다.

무엇보다도 그 공간에는 엄마와 아빠의 치열했던 젊음이 고스란히 남아있다. 작은 가게에서 열심히 터를 다듬고 꾸려온 그들의 삶이. 생기 넘치고 아름다웠던 시절이. 가난했고 가끔은, 혹은 자주 불행했지만 지나고 보니 지금의 나를 만든 나날이다.

이미 다 커버린 내가 그 공간의 구석구석을 곱씹으며 그들을 더 사랑하게 된다. 나의 작고 여린 마음과 순수했던 꿈, 애쓰던 인내의 시간이 그 작은 구멍가게 집에 남아있다.

비와 바다, 겨울의 조각들

비

1.

어둠을 묻힌 빗줄기가 학교 건물을 적시고 하나둘 교
문을 나서는 아이들. 골목길엔 학생들이 교복의 밑단
을 적신 채 줄을 잇고, 찰박찰박 운동화 안으로 빗물
이 새어든다. 우산 너머 아는 뒤통수와 모르는 뒤통수
들이 번갈아 스치고, 아침과는 다른 색깔의 통로를 지
난다. 비슷한 하루를 보낸 수백 명은 같은 운명을 짊
어진 것만 같아 연민이 들고 비 냄새에 묘한 설렘도
느껴본다. 그렇게 좁은 골목길을 왁자지껄 행군하며
집으로 향한다. 친구의 뒤꿈치를 바라보고, 바라보며.
서로의 종아리에 물을 튀기고, 튀기며.

2.

너는 나에게 잊히는 존재. 곧 사라질 것을 아는 안개나, 곧 증발하리란 것을 아는 비에 젖은 아스팔트의 물기처럼.

3.

비는 흐느끼지 않고 흐른다.

시간도 마찬가지로 흐르고 있다.

아주 짧은 노래도 나를 웃게 하고 울게 한다.

3월에 내리는 함박눈처럼

우리는 의외의 순간을,

마지막이라며 흘려보낸 지난 것들을

다시금 마주하곤 한다.

하지만 그런 순간은 더 빨리 녹아버린다.

소중함을 깨닫는 건

항상 한 발 늦다.

여러 번의 기회가 주어져도

여러 번 놓친다는 것을.

오늘은 비가 흐르지 않고 흐느낀다.

길바닥에서 오래도록 운다.

4.

비가 그친 혜화동

창밖 사람들은 만나고 걷고 헤어진다

어두컴컴한 실내에 작은 조명들은

사람들 사이를 밝힌다

옆 테이블에서 전해오는 목소리는

웅웅- 하기만 하고 잘 들리질 않는다

이 안에만 해도 너무 많은 삶이 있다

지하철이 들어오는 걸 보고 나서야 떠오른다

자리에 두고 온 우산

만나고, 함께 걷고, 헤어진 기억들

5.

빗줄기가 굵어졌다, 가늘어졌다 반복하고 있다. 제법 쏟아지는 비에 발목까지 다 젖어 걸음이 무거워졌다. 차라리 비가 와서 다행이라고 생각했다. 한 차례 다 씻어내 가면 참 시원하겠다고. 침대에 누워 빗소리를 들으며 한숨 늘어지게 자고 싶다는 생각을 했다.

문득 차가운 공기 속에서 따뜻한 밀크티를 한잔하고 싶다는 생각이 들었다. 고소하면서 향긋한 밀크티로 오늘 하루를 마무리하고 싶어졌다. 집 근처 단골카페 에 들렀지만 웬걸 밀크티는 안 판다고 한다. 다른 날 이었으면 그냥 커피라도 사서 집으로 돌아갔겠지만, 뭔가 아쉬웠다.

그렇게 동네를 조금을 더 헤매다 이곳에 왔다. 밀크티 보다 반가웠던 건, 도로가 훤히 내다보이는 큰 창문이 었다. 테이크아웃을 하려 했지만 조금 더 머물고 싶어 졌다. 그리고 이렇게 앉아서 창밖을 본다.

자동차들은 빗물을 흩뿌리며 달리고 인적은 드물다. 벌써 이 동네에서 1년 가까이 지내왔지만, 아직도 창밖의 풍경은 낯설다. 마치 어느 날 이곳에 뚝 떨어진 사람처럼 이질감을 느낀다.

밀크티는 식어가고 마음은 느긋해진다. 밖에는 바람이 더 거세어져 간다. 현수막과 담쟁이가 이리저리로 나부낀다. 갈비뼈에 소름이 돋고 가슴이 시큰시큰 시려온다. 읽고 있는 책에서는 사랑을 말하고, 나는 동떨어진 세계에서 사랑을 상상한다. 비는 생각을 씻어내고 또 지워낸다.

그리고, 소설을 쓰고 싶단 생각을 한다. 소설을 쓴다면 이곳에서 쓰고 싶다. 길 건너 내려다보이는 동네를 지나면 바다가 있을 것만 같다. 섬의 이야기를 쓰고 싶다. 꼭 해야만 하는 일처럼 느껴진다. 여전히 빗줄기가 거세다.

6.

빗물은 번개처럼 차창을 가르고 물 자국은 가뭄 난 논 바닥처럼 쩍쩍 갈라져 눈물조차 말라 흐르지 않는다. 뿌옇게 변해버린 세상은 먹먹하고 막막하고. 목적지를 알 수 없는 이 버스는 덜컹덜컹 달리고 또 달려 결국 어딘가에 멈추겠지만,

그곳에 당신은 없겠지. 우산을 펼쳐 들고 어깨를 부빌 당신은 없겠지.

바다

1.

혼자 제주 여행을 갔을 때, 바다가 보이는 카페에 앉아서 하염없이 치는 파도와 느리게 흘러가는 구름을 질리도록 바라본 적이 있다. 외롭다는 생각이 들 만도 한데, 입을 꾹 다물고 생각을 종이에 적어내는 작업에만 골몰하니 외로움은커녕 비어 있는 곳이 채워지는 충만감이 들었다. 해가 지기 시작했다. 숙소로 향하는 걸음 뒤로 하늘은 보라색과 분홍색, 오렌지색으로 형형색색 물들었다. 그 풍경이 아쉬워서 걸었던 길을 몇 번이고 다시 돌아가 해가 지는 바다를 바라보았다. 그때 나는 내가 찾는 행복의 실체가 무엇인지 조금이나마 알 수 있었다.

2.

어떻게 지내냐는 안부

밥은 먹었냐는 인사

잠이 안 온다는 투정

어쩌면 별 의미 없는 한 마디가

얼마나 큰 파도를 가져올지

모든 시간이 잠겨버리도록

깊고도 무거운 바다가 될지

우리는 미처 몰랐다

가벼이 밀려온 만큼

가벼이 물러갈 줄 알았지

3.

눈물 날 것 같은 그 날의 밤바다.

두려움과 고독, 분노와 원망이 파도와 뒤섞여 뒤꿈치를 쫓아왔다. 밀려들고, 또 밀려들고 곧 거품처럼 사라졌다. 감정들이 휘발되고 난 뒤에는 발가락에 걸리적거리는 모래 알갱이처럼 찝찝함만이 남았다. 후회와 미련처럼 뻔한 것들만이 실재했다. 다른 것은 이미거품이 되어 깊은 바닷속으로 사라져 다시는 손끝에닿을 수 없는 어딘가로 숨어버렸다. 이제는 그날의 기억과 감정을 정확히 되짚을 수가 없다.

4.

그늘진 바다

파도 소리가 요란하다

그리움은 고요하게 밀려들고는

멈추지 않고 떠난다

해안을 적시는 바닷물은 정해져 있을까

부서지고 부서지고

잘게 부서진 파도만이 눈에 들어온다

본 듯한 풍경인데도 낯선 것은

홀로 해변을 거니는 까닭일까

구름은 바다를 덮고 나를 덮고

내가 걸어온 발자국도 덮는다

더운 나라에 바람이 차다

5.
가만히 있고 싶은 마음은 누구나 갖고 있지
하지만 가만히 있을 시간이 없는 거야
이게 얼마나 참담한 일인지 몰라

세상에 아름다운 모든 것을 오늘도 놓쳐버렸다
매일매일 사랑스럽고 따스한 것을 잃어가며 산다

6.

막막한 마음이 바다를 보고 명쾌해지는 건

망설임 없이 솟구치는 파도와

머뭇거리지 않는 시원한 물살 때문인가 보다

바다는 참지 않기 때문인가 보다

겨울

1.

바람이 시리다. 추위의 냄새가 훅 끼쳐오는 겨울밤. 거리에 사람도 없는데 동떨어진 사람들 사이를 멀찍이 걸으며 외로움을 중얼거려 보기도 한다. 사실은 그런 게 뭔지 하나도 모르면서. 진짜 내가 아는 게 뭔지도 모르면서.

2.

겨울의 나뭇가지들은 뿌리를 닮았다. 애처로워 보이지만 굳건하다. 갈구하는 힘이 있다. 그렇다고 해서 거센 눈보라가 만만하다는 이야기는 아니다. 악착같은 면이 있어 견디는 것이다.

시련이 무엇이 됐든 누군가가 견뎌내는 모습을 쉽게 여길수록 세상은 잔혹해져 간다.

3.

눈이 오지 않는 겨울을 상상해본 적이 있어. 괜스레 허무해지더라고. 기껏 지난 계절들을 견뎌낸 의미를 잃어버린 것만 같고. 사무실에서 문득 '이번 겨울에는 왜 이렇게 눈이 안 오지?' 서운한 생각이 들었어. 해를 거듭할수록 눈에 뒤덮여 아득하게 지워져 버린 세상을 마주하기 어려워져.

지나치게 선명해. 시간의 흐름도, 변해버린 마음도, 지난 기억들도. 눈밭처럼 새하얀 종이에 끼적인 볼품없는 사랑 이야기조차. 조금은 희미해졌으면 좋겠어. 버리기 아까워서 가지고 있던 것들이 하얗게 어렴풋해지면 왠지 얼버무리듯이 아름답다고 말해버릴 수 있을 것 같아.

겨울은 말이야 눈을 닮았어. 눈이 겨울을 닮은 걸지도 모르지. 분명하지 않아서 소중해. 시작과 끝이 모호하잖아. 어쩌면 그런 것들이 진짜라는 생각이 들어. 눈치채지 못 하게 물드는 것. 난 그런 게 참 좋더라.

이번 겨울이 다 가기 전에 눈이 내리면 너에게 다시 편지를 쓰고 싶어. 그때는 얼버무리듯이 사랑한다고 말할 수 있을 것만 같아.

4.

눈이 내리기 시작했다

이마에 콧잔등에 입술에 내려앉는다

온기가 없는 찬 얼굴에서 한참을 녹지 않고 버틴다

눈꽃이 만발한 풍경은 말이 없고

고요에 잠긴 길거리는 발걸음만 무성하다

너는 서두를 것 없이 천천히 왔다가

잊을 즈음 문득 떠날 것이다

혹은 불쑥 찾아왔다가

긴 발자국을 남기며 돌아설 것이다

그래도 괜찮다

매일 걷는 이 길에 눈이 쌓이기 시작했다

5.

소리 없이 소복이 쌓였습니다

발목이 시려 복숭아뼈가 빨갛게 익습니다

아직도 그대는 먼 길 너머 보이지를 않습니다

괜스레 뒤꿈치를 들곤 합니다

하염없이 있다가 보니 하얀 세상에 홀로 서 있습니다

사람이란 사람은 다 증발해버린 세상입니다

아직도 그대는 먼 길 너머 보이지를 않습니다

6.

겨울이 떠나는 중이다

눈이 오는 풍경도 차가운 거리도

일찍 떨어지는 태양과 밝은 달도

충분히 담아두지 못했는데

어느새 겨울이 떠난다

여전히 바람은 차갑지만 봄이 올 것을 안다

공기의 냄새가 다르고

햇볕의 감촉이 다르다

나의 겨울은 앞으로 몇 번이나 허락될까

손으로 세어본다

더 소중히 해야지

매번 찾아오는 겨울이 아니라

다시 찾아와 준 겨울

아메리카노와 라떼

퇴근이 생각보다 늦어졌다. 벌써 밤 열한 시가 넘어가고 있었다. 마음이 급해져 지하철에서 내리자마자 거의 뛰다시피 역을 나섰다. 역 바로 근처 24시 카페에서 연인이 기다리고 있었기 때문이다. 그는 이미 오랜 시간 그곳에 있었다.

카페에는 늦은 시간임에도 불구하고 손님이 엄청 많았다. 하지만 나는 단숨에 그를 찾아낼 수 있었다. 그는 2층 중앙 자리에 앉아 있었다. 잔은 이미 비어있었다. 아메리카노를 마셨을 거다. 항상 그랬으니까.

기다리게 한 게 미안해서 나는 어쩔 줄 모르는 마음이었는데, 그의 평온한 표정을 보자 차오른 숨과 마음도 금세 가라앉았다. 어쩐지 그를 보면 나는 들뜨던 마음도, 복잡하던 머리도, 미안한 감정도 모두 잠잠해지곤 한다. 마치 에스프레소와 우유가 섞이는 것처럼 나의 요동치던 마음이 하나의 색을 띠게 된다. 미안하단 말에 그는 "아니야. 나도 할 일이 있어서 그거 하고 있었어." 하고 웃는다.

그는 검은색을 유독 좋아했다. 자주 입는 옷도, 전자기기도, 집에 두는 가구도 다 검은색이었다. 나는 그의 한결같은 취향을 좋아했다. 어쩐지 그만의 색이 있는 것 같아서 그게 매력이라고 생각했던 거다. 반면 그의 성격은 오히려 색이 전혀 없는 편에 속했다. 아니, 색이 너무 짙어서 속을 알 수 없다고 해야 하나. 너무 깊어서 아예 검게 보이는 물속처럼, 고요했다.

한 번은 그에게 나의 글을 보여줬다. 그가 보여 달라고 자주 말했었기 때문에 고민하다가 용기를 내 메신저를 통해 글을 보내준 거다. 그런데 이상하게도 그는 마치 그 글을 읽은 적이 없는 것처럼 한 마디 언급조차 하지 않았다. 기다리다가 결국 참지 못하고 글이 너무 별로여서 그런 거냐며 먼저 묻고 말았다. 그는 오래도록 말을 고르더니, 예상 밖의 답을 했다.

"네가 쓰는 글의 데이터를 축적하고 있는 거야."

데이터라니. 공대생이라서 그런가. 그는 내가 어떤 글을 쓰는지 알기 위해 더 많은 글을 모을 거라고 했다. 글에 대해 아는 것이 없어서 말을 아끼게 된다는 말도 덧붙였다. 그럼 그렇게 말해주면 되지. 그렇다 해도 서운한 마음을 감출 수가 없다.

물론 편하게 대답하기 어려운 질문이란 걸 안다. 하지만 고집스럽게도 그의 의견은 꼭 듣고 싶었다. 그는 또다시 음… 하면서 말을 고르더니, 또 한 번 예상 밖의 답을 했다.

"너무 어두운 것 같아."

고르고 고른 말이 어둡다, 라니. 순간 내 마음에 그늘이 드리워졌지만, 마냥 부정할 순 없어서 "그렇긴 하지."라고 대꾸하고 말았다.

마냥 어둡기만 한 글이라는 걸까. 어두워서 어떻다는 걸까. 나는 멋쩍어서 "따지자면 내 글은 검은색 같은 거지! 자기 검은색 좋아하잖아." 하며 장난을 쳤다. 그러자 그는 다정한 투로 "검은색을 좋아하는 거지. 어두운 걸 좋아하는 게 아닌데?"라고 말했다.

나는 잠시 말을 잃었다. 속에서는 여러 가지 생각이 빗발쳤다. 사람은 자신도 모르게 어두워지곤 하잖아. 어두운 걸 싫어해도 어쩔 수 없이 어두워질 때도 있는 거잖아. 검은 것과 어두운 것. 뗄 수 없는 거잖아. 결국, 그의 다정한 목소리에 아무런 말도 할 수 없었다.

그는 종종 자기만의 방에 자신을 혼자 두는 사람이었다. 나는 사방이 온통 검은색 벽으로 돼 있는 어두운 방에 그가 혼자 앉아 있는 상상을 할 때가 있다. 속마음을 꽁꽁 감춰두고 터놓지 않는 사람. 그의 생각을 알기 위해서는 노크를 하듯 수십 개의 질문을 던져야만 했다. 그가 숨어든 방에 어떻게 하면 들어갈 수 있을지 고민했지만, 답을 찾지 못했다. 그저 문 앞에서 기다리는 것 말고는 어떻게 할 도리가 없었다.

속이 들여다보이지 않는 아메리카노를 보며 생각했다. 그가 가끔은 아메리카노가 아닌 라떼를 마시는 사람이라면 어떨까. 단 걸 안 좋아하더라도 바닐라 라떼 같은 것도 종종 찾는 사람이라면 어땠을까.

무언가가 녹아들어 갈 만한 여지가 있었으면 좋겠다는 거다. 한쪽 끝에 다다르기보단 어중간한 편이 차라리 마음이 놓일 때가 있다. 하얀 우유나 달콤한 시럽 같은 것이 섞여 들어가 삶이 마냥 검은색이거나 어둡거나 하지 않았으면.

그는 내가 밝은 글을 쓰기를 바랐다. 내가 어두워지길 원치 않는 것이다. 검은색에 둘러싸여 있는 그를 보는 내 마음과 비슷한 걸까.

130

사랑하다 보면 어쩔 수 없음을 알면서도 서로에게 바라고 만다. 검은색과 어두운 것은 다르다고 말하던 사람. 그런 그가 나의 글이 마냥 어둡지만은 않다는 걸 알아줬으면 좋겠다.

위로의 순간

그런 사람들이 있다. 삶을 달짝지근하고도 아기자기
한 것으로 느껴지게 만드는 사람들. 그런 이의 곁에
있으면 나도 예쁘게 살아보고 싶은 욕구가 마구 생긴
다. 얇은 손가락으로 세상을 소중하게 어루만지면서,
단정하고 꼼꼼하게 하루를 보내고 싶어진다.

요즘에는 유튜브로 다양한 사람들의 '브이로그 (Vlog)'를 보며 부쩍 더 그런 생각을 많이 한다. 자신의 일상을 정성껏 담아낸 영상을 보면서 나의 하루를 되돌아보게 된다. 나는 균형을 맞추며 잘 지내고 있는 걸까, 하고. 곁에 있는 이들이나 영상 너머에 있는 이들의 일상을 눈으로 좇으며 좋은 영향을 받고 나면 나도 나의 글을 쓰고, 따뜻한 차를 마시고, 시를 읊는 듯한 잔잔한 노래를 듣는다. 감각적인 공간에서 시간을 보내거나 음식을 직접 해 먹기도 한다. 나를 위한 시간을 마련하려고 노력한다.

하지만 열심히 데워놓은 삶의 온도는 불시에 차가워지곤 한다. 현실을 직시하는 순간에 그렇다. 숫자와 관련된 생각이 스며들면 특히. 생각이 많아지는 밤이나 새벽에는 낮아진 기온만큼 나의 마음도 차갑게 식어버린다. 낭만적이고 아름다운 생각을 쉽게 내려놓는다.

낭만이 사치로 느껴지고, 희망이 철없는 고집처럼 여겨지고, 고단한 나의 마음을 보듬는 시간을 낭비라고 생각하게 되는 것이다. 힘들어도 꿋꿋이, 멈추지 않고 살아가는 사람이 얼마나 많은데. 좋아하는 것보다는 해야 하는 것에 더 많은 시간과 열정을 쏟아야 하는 건 아닐까, 비록 지쳤더라도 지금은 쉬어가기보다 앞으로 나아가는 게 우선인 건 아닐까, 하는 마음.

그럴 때면 다시 시작점에 서는 기분이다. 다시 삶의 온도를 데워야 한다. 내가 나를 껴안고. 홀로 나의 속을 하염없이 들여다보며 허물어진 마음을 다시 세우고 구멍 난 곳을 찬찬히 메워야 한다. 자신을 사랑하는 마음을 장난감 블록 쌓듯이 하나하나 쌓아나간다. 무너지지 않도록 손끝으로 꾹꾹 눌러가면서. 쌓아나가는 과정은 내가 아닌 다른 이가 대신해줄 수 없지만, 곁에 있는 이들의 한마디 말이 삶을 지탱하는 튼튼한 지지대가 돼 주기도 한다.

얼마 전에 만난 친구는 하고 싶은 일과 해야 하는 일 사이에서 고민하는 나에게 말했다. "넌 쌀알을 하나하나 골라내면서 고민하지만, 결국엔 같은 포대에 있는 쌀알인걸. 너의 삶이 아주 다르게 흘러가거나 잘못될 거라고 생각하지 마. 옆에서 보기에는 너의 길대로 쭉 가고 있는 것처럼 보여." 내가 이런 말을 들어도 되는 걸까, 싶을 정도였다. 친구의 한 마디에 마음이 놓이는 걸 느꼈다.

어느 날 저녁에 나는 지하철 2호선 열차에 있었다. 퇴근길이라 열차에는 사람이 빼곡했고 다들 조금은 지쳐 보였다. 당산역에서 합정역으로 향하는 그때, 살짝 긴장한 차장님의 목소리가 안내방송으로 흘러나오기 시작했다.

"창밖에 한강의 야경이 참 아름답습니다. 잠시 고개를 들어 감상해보시면 어떨까요?" 스마트폰을 바라보던 사람들이 하나둘 고개를 들었다.

"살면서 많은 선택을 하게 되는데요. 어떤 선택을 하든지 본인이 원해서 한 선택이라면 틀린 선택이 아니라는 걸 말씀드리고 싶습니다. 오늘 하루 힘든 일이 있으셨다면 내리실 때 이 열차에 모두 내려놓고 홀가분한 마음으로 내리시길 바랍니다. 항상 응원하겠습니다."

정해진 멘트라 할지라도 한 자 한 자 진심을 담아 말하는 목소리에, 뜨거운 게 목구멍에서 울컥 올라오는 것만 같았다. 그날 한강의 풍경은 유난히 다정했다.

이토록 다정한 사람들. 삶을 예쁘게 살아보고 싶게 만드는 순간들. 이런 위로의 순간들이 고꾸라질 뻔한 나를 단단히 붙잡곤 한다. 긍정적인 영향을 주었던 사람들이 나에게 그러했던 것처럼 나 역시 다른 누군가에게 긍정적인 영향을 주기 위해 노력해야겠다고 마음먹는다. 그런 에너지와 그런 사람들이 모여서 결국엔 달짝지근하고 아기자기한 삶이 되는 것이니까.

나도 누군가에게 삶을 마구 살아보고 싶게 만드는 사람이 되고 싶다.

인내와 미련 사이

"아유, 너 같은 애라면 지금이라도 한 명 더 키울 수 있어!"

엄마는 나의 어린 시절을 떠올리며 자주 이렇게 말했다. 엄마가 이렇게 말하는 데에는 다 이유가 있다.

일화를 들어보자면, 우선 내가 갓난아기였던 시절로 거슬러 올라가야 한다. 그때 우리 가족은 작은 구멍가게를 운영하고 있었다. 엄마는 가게를 보느라 어린 나를 방에 혼자 뉘어놓는 일이 잦았는데, 애가 어찌 된 일인지 자다 깨도 우는 법이 없었다. 하도 조용해서 들여다보면 곁에 놓여있던 젖병을 알아서 물고 있는 식이었다. 한동안 이웃집에서는 내가 태어난 줄도 몰랐다고 한다. 그때 엄마는 아기가 엄마 힘들지 말라고 도와준 거라며 고마움을 느꼈다고 했다.

그때부터였을까. 나는 인내심의 영역에서는 지독할 정도로 고집스러운 아이로 자랐다.

한 번은 이런 일도 있었다. 내가 일곱 살 즈음으로 기억한다. 부모님과 함께 강원도에 있는 친척 집에 가는 날이었다. 나는 차 뒷좌석에서 양쪽 안전벨트를 크로스로 매고 가운데에 앉아있었다. 그때는 고속도로가 아닌 대관령을 굽이굽이 넘어가야 했는데, 대관령의 격한 경사와 급진적인 커브 때문에 이리로 기울고 저리로 기울고 고꾸라지기를 반복하다가 자그마한 몸이 좌석의 바닥까지 미끄러졌고, 꼬여버린 안전벨트 사이에서 혼자의 힘으로는 도저히 빠져나올 수 없는 지경에 처하고 말았다. 엄마와 아빠는 대화를 나누고 있었고 나는 단지 그들의 대화에 끼어들면 안 된다는 생각에 그 상태로 차분히 바닥에 널브러져 있었다. 대관령을 다 넘고서야 뒤늦게 내가 사라진 것을 발견한 엄마와 아빠가 구석에 처박혀 있던 나를 구출해냈다.

이 얘기는 어처구니없지만, 막상 떠올리면 웃긴 이야기로 아직도 회자되곤 한다. 그땐 땀을 삐질삐질 흘리면서 어렵게 버텨냈지만 말이다. 이런 성격은 커가면서도 좀체 바뀌지 않았다. 초등학생 때는 열이 펄펄 끓어도 아프다는 소리를 절대 하지 않았다. 이마가 불덩이처럼 달아오르고 식은땀을 흘리다가 엄마를 깜짝 놀라게 할 때가 많았다. 심지어 엄마의 만류에도 불구하고 등교해 모든 일과를 마칠 때까지 얌전히 제자리를 지켰다. 덕분에 매년 개근상을 타긴 했지만, 상을 타려고 버틴 건 아니었다. 왜 그토록 고집스러웠는지, 지금의 나는 이해하지 못한다.

나의 견고한 인내심이 삐걱대기 시작한 건, 일을 시작하면서부터였다. 버티는 게 주특기니까 아무리 고된 환경이라도 잘 이겨낼 수 있을 거라 자신만만하며 시작한 일이었다. 하지만 막내에서 벗어날 즈음 인내심이 한 장만 뒤집으면 미련함으로 둔갑할 수 있다는 걸 깨달았다.

버티는 건 멍청한 사람이나 하는 거라고 말하는 이도 있었다. 똑똑한 사람은 부당한 상황에서 재빨리 벗어나는 거라고. 나는 그 말에 항복할 수밖에 없었다. 백번 맞는 얘기였다. 그런데 갓난아기 때부터 (어쩌면 태어나기 전부터) 체득해 온 인내심은 내가 마음대로 조종할 수 있는 능력이 아니었다. 다른 사람의 눈치를 보면서 버티는 게 아니라, 내가 나의 눈치를 보고 있었다. 자신이 망가지면서까지 버티는 건 인내가 아니라 파괴의 행위일 뿐인데도 말이다.

버티면서 잃은 것이 많았다. 일단 몸이 아플 때가 많았다. 처음엔 잘 안 아프다가 한 번 아프니까 자주 아플 수 있는 몸이 됐다. 평온하지 않은 나날을 보냈기 때문에 계절의 변화가 아름답지 않았고 무미건조했다. 답답한 나머지 지나가는 사람을 아무나 붙잡고 도대체 어떻게 살아가는지, 그쪽은 행복하게 살고 있느냐고 묻고 싶기도 했다. 나만의 시간과 공간이 확보되지 않아서 비좁은 마음으로 사는 날이 오래 이어졌다.

하지만 버틴 게 아까워서 버티고, 한 번 무너지면 영영 일어서지 못할 거라는 두려움을 동력 삼아 버텼다. 나는 너무 꼿꼿하게 세워진 건물처럼 작은 지진에도 쉽게 무너질 듯 위태로웠다.

그러던 중 뜻밖의 행동을 저지르고 말았다. 일하면서 처음, 내 입으로 못 하겠다는 말을 한 것이다. 방송작가는 불가능한 것을 매번 해내야 하는 사람들이었는데, 어느 순간 불가능한 것을 불가능하다고 말해보지도 못하고 무작정 달려들어야 하는 것에 울화가 치밀었다. 제대로 된 보상이 없는, 존중받지 못하는 상황에 처음으로 반기를 들었다.

그 순간, 일에 관한 나의 인내가 순식간에 헐렁해지는 걸 느꼈다. 그러나 나도, 세상도 무너지지 않았다. 잠시 껄끄러웠을 뿐, 한결 산뜻했다. 오래 들고 있던 짐을 내려놓은 것처럼.

가장 중요한 건, 인내해야 하는 것과 인내하면 안 되는 것을 구별해내는 것이다. 구별해내지 못하면 인내는 쉽게 미련함이 되고, 나를 파괴한다. 나는 그것을 너무 늦게 알아버렸다. 아마 내가 아프거나 고통스럽더라도 부모를, 친구를, 연인을, 직장 동료를 실망하게 해서는 안 된다는 강박감이 나를 그렇게 만들었는지도 모른다. 거기에 나 자신을 실망하게 해서도 안 된다는 조건이 덧대어졌다.

나의 유전자에 들어 있는 인내심은 아마 평생 삭제할 수 없을 것이다. 그래도 그걸 건드려보고 뒤집어보고 하면서 조종키를 찾아낸 것 같다. 앞으로는 미련한 나의 인내심을 어떻게 조종할 수 있을지 그 방법을 연구하는 데 힘을 쏟아볼까 한다.

여행의 시작과 끝, 비행

승객들을 모두 태우고 출발 준비까지 마친 다낭 국제 공항행 비행기는 출발하지 못한 채 30분 넘게 서 있었다. 관제탑 허가를 기다리고 있다는 안내 방송이 웅성거리는 기내 승객들 말소리에 섞여들었다. 세상은 암흑 속에 잠겨있고 활주로 라인을 따라 작은 불빛들이 점점이 빛나고 있을 뿐이다. 작은 불빛 사이에 서 있는 거대한 비행기는 잠든 고래 같다.

너무 지체된다 싶어질 때쯤 활주로를 따라 나아가는 것이 느껴졌다. 거침없는 엔진 소리와 함께 무서운 속도로 달음박질하다 곧, 롤러코스터처럼 심장이 덜컹 내려앉는 느낌이 들며 둥실 떠올랐다. 마지막 바퀴가

지면과 떨어지는 게 느껴졌다. 공항을 뒤로하고 얼마 가지 않아 비행기는 어둠 속에 삼켜졌고, 날개에 달린 조명등만이 우리가 이곳에 있음을 밝히고 있었다. 바다 위를 날고 있다. 작은 창밖으로 아무것도 보이지 않았다. 거센 돌풍이 부는지 기체가 심하게 흔들렸다. 하지만 승객들은 좌석에 앉아 잠이 들거나 각자의 볼일을 볼 뿐이었다. 신기한 일이다. 바람을 뚫고 나아가는 비행기 안에 안락한 이들.

잠시 눈을 붙일까 했지만 좁은 좌석에 묶이듯 앉아있으니 마음도 꽁꽁 묶인 듯 갑갑해 깊게 잠을 이루지 못했다. 낯선 곳으로의 여행이 주는 긴장감 때문일지도 모른다. 눈꺼풀 안쪽이 거칠어져 빽빽하다. 전자책 리더기에 담아 온 책을 절반 가까이 읽고 나서야 목적지에 도착한다는 안내 방송이 들려왔다. 현지 시각 밤 12시 30분을 넘어서고 있었다. 베트남은 한국보다 두 시간이 늦다.

시간을 거슬러 온 것 같다는 생각이 듦과 동시에, 순간의 선택이 사람을 어디까지 데려갈 수 있는지 새삼 놀라웠다. 떠날지 말지를 결정하는 순간들. 살면서 수 없이 만나게 될 선택의 순간들. 같은 비행기에 올랐던 이백여 명의 사람들은 또 어디로 어떻게 흩어지게 될까.

공항을 벗어나 처음 만난 것은, 손님을 맞이하기 위해 늦은 시간까지 기다리고 있는 여행사 관계자들의 바쁜 눈동자와 손짓이었다. 택시 기사들과 폭주하듯 달리는 오토바이 몇 대. 풀냄새가 섞인 약간은 따스하고, 약간은 서늘한 공기. 그리고 이곳에 덩그러니 놓인 나. 그제야 실감이 난다. 비행의 끝에는 난생처음 보는 풍경과 현현한, 살아있는 '그곳'이 기다리고 있었다.

비행은 항상 여행의 시작점에 있다. 바다 위를 날거나 대륙 위를 날거나 오랜 시간을 날거나 오래 걸리지 않아도 꽤 먼 거리를 날거나 한다. 태어나서 처음으로 비행기를 탔을 때의 설렘은 이제 남아있지 않지만, 앞으로의 여행이 어떻게 이어질지 기대감을 가득 품고 있자면 모든 비행은 신비롭고 고마운 것이 된다.

중요한 건 여행의 끝에서도 비행이 기다리고 있다는 것이다. 같은 바다와 같은 대륙 위를 거꾸로 날아오는 과정에서, 구름이 발아래에 깔린 하늘 위에서 나는 어떤 기억과 감정들을 곱씹고 있을까. 나는 얼마나 달라져 있을까. 여행이 엄청난 변화를 가져다주진 않는다. 거창한 의미를 부여하고 싶지 않다. 다만, 익숙한 곳을 벗어나 익숙하지 않은 곳에서 일상의 굴레 없이 오롯이 나로 존재하는 경험은 여행만이 줄 수 있는 선물이다.

그래서인지 몰라도 나는 내가 밉거나 삶이 지겨워지면 여행을 떠난다. 여행을 갈 때면 오랜 고민을 해결하고 굉장한 용기를 얻고 돌아올 것처럼 자신하지만, 결국 다시 '나'로 돌아온다. 일상은 더 현실적으로 느껴진다. 하지만 전보다는 평범한 일상을 사랑하게 되고 나의 있는 모습 그대로를 받아들일 수 있게 된다. 용기는 그런 마음에서부터 시작되는 게 아닐까.

여행의 시작은 이러했다. 끝은 어떨까. 돌아가는 비행기에 나는 어떤 '나'를 싣고 돌아갈 수 있을까. 타국의 밤공기에 취해 아무래도 좋다고 생각하는 밤이었다.

테이블이 쓰러졌다

삐걱 거리던 테이블이 쓰러졌다. 위태롭긴 했지만 잘 세워두면 큰 문제가 없어서 방치한 지 오래였다. 결국 테이블은 무너진 채 거실바닥에 드러누워 있었다. 테이블 위에 놓여있던 물건들이 거실 바닥에 엉망으로 널브러져 있었지만, 이상하게도 쓰러져있는 테이블을 보며 마음이 놓였다. 소명을 다한, 끝을 본 개운함이었다.

쏟아진 물건을 정리하며 생각했다. 아주 작지만 내 마음 어딘가에 있던 불안함도 함께 정리되었다고. 쓰러질 때까지 불안해하면서도 그대로 두는 것은 해결하는 것에 대한 귀찮음. 혹은 두려움일 수도 있겠다. 아니면 어떤 인연이든 만신창이가 될 때까지 붙잡고 있는 습성에서 비롯한 것인지도 모르겠다.

끝을 보고, 이렇게도 저렇게도 도저히 안 되겠다는 확신을 얻어야만 미련이 가시기 때문이라면 너무 계산적이고 방어적인 걸까.

지난 연애에서 나는 유독 맘고생을 많이 했다. 울기도 많이 울었다. 그런데도 나는 그를 쉽게 잘라내지 못했다. 나의 마음을 기우뚱거리는 테이블처럼 가만히 세워놓고 그 위에서 밥도 먹고, 일도 하고, 책도 읽으며 흔들거리는 다리 한쪽을 애써 외면했던 것이다.

알아서 쓰러져주기를 바라는 이기적인 마음. 단 한 번의 강한 타격에 쓰러질 거라면 그 타격 전까지 버텨보자는 방관자적인 마음. 나는 사랑하는 마음마저도 그 타격에 잘려 나갈 거라 믿고, 마냥 기다렸던 것이다.

그리고 결국 우리는 헤어질 수 있었다.

나는 그를 자주 원망했지만 생각해보니 그럴 일도 아니었다. 치사한 건 나였을 지도 모른다. 자르지 못한 건 나였으니까. 나의 마음도, 그를 향한 사랑도, 우리의 관계도 삐걱대는 걸 알면서도 그대로 방치했다.

오랜만에 그때 당시 썼던 글을 뒤적이다가 짧은 글을 발견했다.

연락이 두절되고는 마음을 오리고 오렸습니다.
그대는 항상 거침없이 걸어 나가고
또 거침없이 돌아왔습니다.
익숙해지려야 그렇게 되지 않습니다.
그래서 그럴 때마다 마음을 오리고 오립니다.
사각사각 다 잘려 나가서
남아있는 자리가 없도록
그대의 빈자리를 밤새 오리고 또 오립니다.

어쩌면 나는 너무 많이 오리고 오리느라 우리의 관계를 제대로 잘라내지 못했던 건 아닐까. 허구한 날 쓸데없이 내 마음을 오리고, 그의 빈자리를 오리고 있었으니 마음이 그렇게 아렸구나. 내 안을 후벼 파고 베어내고 있었구나.

이제는 제대로 잘 보고, 잘라내야 할 곳을 잘라내야겠다고 결심한다. 애꿎은 곳에 상처 내지 말자고. 하지만 사랑의 눈길로 자를 곳까지 가늠하는 건 애초에 불가능하지 않을까. 결심과는 별개로, 힘주었던 눈가를 풀고 만다.

소심한 부탁 전문가

나는 부탁을 잘 못 하는 사람이다. 부탁하는 나의 모습은 기름칠이 덜 돼 삐걱거리는 깡통 로봇 같다. 부자연스럽기 그지없다. 수줍음이 많아서도 아니고, 단순히 상대에게 미안해서 그런 것도 아니다. 아마 독립적인 성향이 강하기 때문이라고 생각한다. 최대한 알아서 해결하고 싶은 마음이 큰 것이다. 남에게 신세를 지면 내 마음이 더 무겁다는 걸 알고 있는 사람의 계산적인 선 긋기라고 봐도 무방하다.

부탁할 때에는 입장을 바꿔서 생각해보고 크게 부담이 될 것 같은 부탁은 하지 않으려고 노력한다. 하지만 그 기준을 정하는 게 쉽지가 않다. 괜찮겠지 생각하고 했던 가벼운 부탁도 누군가에겐 잠도 못 이룰 정도의 고뇌를 가져다줄 수 있다는 걸 알고 있다. 역시 조심스러울 수밖에 없다. 그래도 거절을 받아들일 준비를 하고 부탁을 하는 것이기 때문에, 설사 거절을 당한다고 해도 더 끈질기게 매달리지 않는다. "네, 그럼 어쩔 수 없지요." 하며 재빠르게 물러선다. 이 와중에 거절해야만 하는 상대의 마음을 너무 고려하지 않았나, 다시 반성해본다.

여기까지는 '사적인' 부탁에 관한 나의 태도라고 할 수 있다. 이토록 독립적이고 걱정투성이의 소심한 나는, 아이러니하게도 부탁을 전문적으로 하는 사람이다. 그것도 끈질기게 부탁하고 설득하고 매달리는 사람. 평생 쓸 수 있는 '부탁 이용권'이 정해져 있다면, 나는 이미 최대 사용 한도를 넘어버렸을지도 모른다.

"이것도 해주실 수 있나요? 저것도 가능하실까요? 이런 건 처음이시죠? 그래도 해보시면 잘하실 거예요~

아, 너무 부담 갖진 마시고요." 나는 조금 민망해하고 미안해하면서도 꿋꿋하게 부탁한다. '방송국 놈들 아주 도둑놈들'이라는 얘기에 고개를 끄덕이고, 나도 안 먹고 싶은 약을 팔아야만 하는 제약회사 영업사원도 같은 마음일까 생각해본다.

우선 "저희 방송에 출연해주실 수 있을까요?"라는 부탁으로 스타트를 끊는다. 그전에도 여러 가지 요청 사항이 있을 수 있지만, 이게 가장 메인 부탁이다. 방송에는 연예인만큼이나 많은 일반인이 출연한다. 요즘은 일반인이 주인공이 되는 예능이 줄을 잇는 추세다.

하지만 일반인들에게 방송 출연 자체가 쉬운 결정일 리가 없다. 연예인들이야 그들의 일이기 때문에 크게 걱정할 필요가 없지만, 일반인들은 나가도 그만, 안 나가도 그만이다. 덜컥 방송 출연 제의를 받으면 당혹스러울 수밖에 없다. 그런 그들에게 방송 출연을 부탁하고, 거절해도 설득하는 것이 나의 일이라면 일인 것이다.

막상 출연이 결정된다고 해서 끝이 아니다. 그들에게
는 더 많은 부탁이 가해진다.

"인터뷰를 해야 하는데, 시간 괜찮으실까요?"
"이날 스케줄을 빼주실 수 있을까요?"
"촬영 때 이것도, 저것도 보여주실 수 있으신가요?"
"여기도 같이 가고, 저기도 같이 가도 될까요?"
"의상은 이렇게 입고 와주실 수 있을까요?"
"스튜디오에서 이런 퍼포먼스를 해주실 수 있나요?"
"이런 멘트는 가능하실까요?"…

나는 그동안 내가 만난 수많은 사람의 직업과 일상만
큼 다양한 부탁을 했다. 삐걱대는 깡통 로봇의 관절마
다 열심히 기름칠을 해가며.

부탁의 횟수만큼 거절도 많이 당했다. 하지만 일이니
만큼 "네, 그럼 어쩔 수 없지요." 하며 순순히 물러날
수가 없다. 당신이 왜 이 프로그램에 출연해야만 하는
지, 나의 상황이 얼마나 난처한지 구구절절 설명하며
마음을 돌리려고 애를 썼다. 무조건 해내야만 한다는
강박감을 느끼고 있었는데 그땐 섭외를 못 하면 방송

이 무너지는 줄 알았다. 이 사람이 아니면 안 된다는 마음으로 임했기 때문이다.

방송 일을 하는 사람들은 '어떻게든 방송은 된다.'라고들 입버릇처럼 말하지만 사실 아무도 애쓰지 않고 손을 놓아버리면 방송은 만들어지지 않는다. 누군가 아등바등하고 있기에 방송이 되는 것이다. 하지만 최선을 다해도 안 되는 건, 그냥 안 되는 일이다. 모든 일이 그렇다. 이걸 받아들이는데 꽤 오랜 시간이 걸렸다.

부탁도 많이 하면 늘듯이 거절도 많이 당하면 조금은 익숙해진다. 나 자신에게 '그럼 어쩔 수 없지.' 하게 됐다. 최근 일하고 있는 프로그램에서 11년 차 선배가 이런 말을 했다.

"나는 일희일비 하지 않아. 섭외가 안 된다고 해서 나한테 큰일 나는 거 아니거든. 내 인생에서 이 프로그램, 방송일은 그다지 중요한 게 아니야. 이렇게 생각하고 일해야 해."

나는 후배에게 그렇게 말할 줄 아는 선배가 멋지다고 생각했다. 그의 말에 숨겨진 뜻을, 나는 잘 알고 있다. 정신없이 일을 하다 보면 멀리 보거나 넓게 보는 게 도통 안 된다. 당장 눈앞에 놓인 것에 연연하다 보니 알 수 없는 집착이 생기고, 너무 쉽게 일에 매몰되고 만다. 선배가 말한 '일희일비하지 않는 마음'으로 일해야만 상처와 스트레스를 덜 받을 수 있다.

어떻게든 해내야 한다고 말하는 선배들 사이에서 놓을 땐 놓아야 한다고 말할 줄 아는 선배가 있다는 건 참 다행이다. 인생을 일에 쏟는 열정도 멋지지만, 한정적으로 주어진 시간, 체력, 마음과 같은 자원들을 적절히 쪼개서 여러 방면에 골고루 잘 쓰는 것도 멋지다고 생각하는 요즘이다.

부탁하는 일이 다시 어려워지는 걸 느낀다. 솔직하게 말하면 한 번도 쉬웠던 적이 없었던 것 같다. 출연자의 입장을 고려하지 않고 이기적으로 계산만 하는 팀을 만나면 그 분위기를 참을 수가 없었다. 사람의 이야기를 담으면서 사람을 존중하지 않는다면 그건 그저 유희 거리밖에 되지 않기 때문이다.

그래도 위안이 됐던 건 역시 부탁에 응해주는 사람들이다. 어쩌면 인생에서 이런 부탁은 너무 생소한 거여서 좋은 경험으로 생각해주는 사람들이 많은 것 같다. 오히려 기뻐해 줄 때는 감사함에 마음이 놓이곤 한다.

부탁은 부탁하는 사람과 들어주는 사람 사이에 일종의 고리 같은 것들을 만들어서 관계를 더 견고하게 만드는 힘이 있기도 하다. 부탁에 응하면서 모종의 동맹 관계가 성립된다. 함께 방송을 진행하는 과정에서 서로의 마음을 헤아리고 의지하게 된다. 그러다 보면 애정이 두툼하게 쌓이고 나는 그들에게 좋은 추억을 남겨주고 싶다는 생각에 더 열심히 하게 된다. 최고의 주인공으로 만들어주고 싶다.

내가 만난 사람들은 나에게 '작가님 덕분에-'라든지, '정말 고생이 많으시네요.', '고맙습니다.'와 같은 말들을 꼭 남겨주곤 했는데, 그 한 마디 한 마디가 모여서 나를 용기 내서 부탁할 줄 아는 사람으로 만들었다는 생각이 든다.

나는 앞으로도 부탁하는 사람이어야 하겠지만, 선배의 말처럼 일희일비하지 않으려고 한다. 어쩌면 그런 태도가 이 일을 오랫동안 해나갈 수 있는 비법일 지도 모르겠다.

SNS에 글쓰기

머릿속을 맴도는 생각을 곧잘 외면하곤 한다. 걱정과 고민, 문득 떠오른 글감, 결정해야 하는 문제, 당장 해야 할 일에 관한 생각들을. 너무 크고 무거운 것들은 안쪽으로 구겨 넣어놓고, 별로 관심 없는 것들을 눈앞에 늘어놓으며 시간의 공백과 불안감을 덮어버린다. 안 좋은 버릇이라는 걸 알지만, 걱정을 뒤로 미루고 나면 당장은 조금이나마 가벼워질 수 있다. 하지만 그 시간도 잠시, 곧 상실감과 죄책감이 뒤따른다. 이런 식의 감정의 파노라마가 몇 번 반복된다.

나의 공백을 메우는 건 습관처럼 들여다보게 되는 핸드폰이 8할이다. 하는 건 주로 인스타그램이나 유튜브, 핸드폰 게임 정도. SNS에 들어가면 막상 도움이 될 만한 내용은 없는데, 돋보기 모양의 아이콘을 누르면 실없이 웃을 수 있는 유머 영상이 무한대로 이어진다. 시간을 잡아먹는 구멍이다. 그래도 나는 그 영상들을 보면서 웃어대고, 웃으니까 '즐겁다'고 느낀다. 뇌에다가 나는 그럭저럭 즐겁다, 살만하다고 세뇌를 시키는 행위 같기도 하다.

그러다가도 자극을 받고 현실로 돌아올 때가 있다. 다른 이들이 올린 글이나 사진을 볼 때 그렇다. 나도 무언가를 올리고 싶어지는데, 정작 올리고 싶은 사진이 있어도 고민에 빠지고 만다. 사진을 첨부하는 건 문제가 아니다. 텍스트를 채워 넣어야 하는 단계가 오면 이것저것 썼다가 지웠다가를 반복하다가 결국 사진을 올리는 것마저 포기해버리는 것이다.

쓰고 싶은 글이 없어서라기보다 정말 쓰고 싶은 글을 썼다가는 남들이 나를 어떻게 생각할지 덜컥 겁부터 난다. 너무 감성적이라거나, 오글거린다거나. 사람들은 그런 말을 눈 하나 깜짝 안 하고 잘하니까. 그렇다고 해서 뻔하고 별로인 문장을 적어 넣고 싶지도 않다. 한 번 이런 생각이 들면 어떤 것도 사람들 앞에 내놓을 수가 없다. 나를 드러내는 것을 이토록 두려워한다. 고작 내 SNS 계정에 게시물 하나 업로드 하는 건데도. 그런 내가 글을 쓰고 싶어 한다는 사실이 아이러니하게 느껴질 때도 있다.

나는 지나치게 눈치를 많이 보는 사람이다. 그런 내가 창피하게 느껴질 때가 많다. 내가 주인인 삶을 사는 것 같지 않아서. 타의에 너무 많은 걸 의존하는 사람이라서. 그러면서 주관이 뚜렷한 사람인 척하는 것조차도.

내 주변에는 뚜벅뚜벅 씩씩하게 걷듯이 자신의 이야기를 꺼내놓는 사람들이 많다. 그들의 거침없는 행보를 지켜보면서 점점 더 고립되는 기분이 된다. 안으로, 더 깊숙이 숨게 된다.

하지만 언제까지 외면할 수는 없다. 노력이라고 하기엔 우습지만, 가끔 원래의 나라면 전혀 선택하지 않을 선택지를 골라볼 때가 있다. 내가 만들어둔 '나'라는 틀을 깨보는 거다. 남들의 시선보다 내가 스스로 나의 행동이나 생각에 제약을 만드는 것 같다는 생각이 들기 때문이다. 나를 가로막는 신중함을 덜어내 보는 일이기도 하다.

아주 작은 것부터 바꿔본다. 좋아하지 않는 색, 평소라면 시도하지 않을 법한 식사 메뉴를 골라본다. 게임 캐릭터를 고르거나 닉네임을 정할 때 고민을 길게 하지 않고 대충 선택해버리는 것, 새로운 취미에 도전해보는 것. 표현방식을 과감하게 바꿔보거나, 박탈감 같은 부정적인 감정에 대처하는 자세, 나를 불편하게 만드는 사람들 앞에서의 태도 같은 것을 달리해본다. 예전과는 다르게 굴어본다. 결과적으로 나를 얼마나 틀에서 벗어날 수 있게 만들었는지는 모르지만, 환기가되는 건 사실이다.

그런 의미에서 오랜만에 SNS에 글을 올려본다. 소심해서 본 계정에는 못 올리고 글을 쓰던 계정에 올리기로 한다. 글 계정을 따로 만들어서 짧은 글들을 써서올리기 시작한 지 벌써 5년이 지났다. 아무도 나를 모르는 곳에 글을 쓰는 게 위안이 되던 시절이었다. 감사하게도 글을 읽어주고 댓글도 달아주는 팔로워분들이 있었다. SNS에서 글을 매개로 서로 응원하는 사람들도 생겼었다. 하지만 일이 바쁘다 보니 중간중간 공백이 생기기도 했고, 최근에는 거의 방치된 계정이나 다름이 없다.

그런데 오랜만에 피드를 살펴보고는 감탄할 수밖에 없었다. SNS에 글을 쓰던 사람 중 많은 분이 꾸준히 글을 써서 벌써 책을 여러 권 출간했거나 그게 아니더라도 여전히 글을 써서 올리고 있었던 것이다. 무언가를 이토록 꾸준히 이어나갈 수 있다는 것 자체가 대단한 일이라는 생각이 들었다.

이슬아 작가가 경향신문에 기고한 '재능과 반복'이란 제목의 칼럼을 읽었다. 그는 '꾸준함 없는 재능이 어떻게 힘을 잃는지, 재능 없는 꾸준함이 의외로 얼마나 막강한지 알게 되어서다.'라고 적으며 재능보다는 후천적인 노력에 관해 더 열심히 말하고 싶다고 했다. 나를 자주 멈추게 만든 건, 재능의 부재가 아니라 꾸준함의 부족이란 생각을 해본다.

그래도 작년부터는 좀 더 적극적으로 글을 쓰고 있다. 올해 안에 내가 그동안 썼던 글들을 모아 책을 내는 게 목표다. 바쁜 나날이 지나고 겨울이 올 때쯤, 그 목표를 실현할 수 있을 것 같다. 말보단 행동으로 보여주는 거랬는데, 나는 입이 가벼워서 그러질 못했다. 그런데 말을 꺼내고 나니 옆에서 북돋아 주는 사람들이 생겼다. "일단 한 번 해보시라니까요? 언제 하실 거예요?"라고 채찍질해주는 고마운 사람들. 그들에게 면목이 없어서라도 마음속으로 바쁘게 달리고 있다.

이미 오래 전 결심했던 것을 미루고 미뤄왔다. 마음은 바쁜데 나는 또다시 나의 불안을 외면하고 해야 할 일을 뒤로 미루고 만다. 역시 무책임하고 안 좋은 버릇이다. 그래도 잠시 미뤄둘 뿐 잊지는 않는다. 오랜 시간을 들여 조금씩 떼어내어 생각한다. 시간이 오래 걸릴지라도 나의 속도대로 천천히 가고 있다고 믿고 싶다. 조금이라도 나아갈 수 있다면 좋겠다.

겨울 메모

1.

우리 집 고양이 겨울이는 나를 빤히 쳐다보다가도, 내가 손가락으로 하트를 날리거나 윙크를 보내면 바로 시선을 피한다. 뭘 아는 것 같다. 떨떠름 혹은 난감함 그 언저리에 있는 표정이다. 그래서 나는 겨울이가 시선을 피하기 전에 재빨리 하트를 날리고 윙크를 하는 스킬을 습득했다. 겨울이는 더 못마땅해하는 것 같지만 나는 흡족하다.

2.

잠든 고양이를 본다. 배가 규칙적으로 오르내린다. 가지런히 포갠 뒷발이 앙증맞다. 난 밤을 꼬박 새웠다. 뜬눈으로 고양이를 본다. 한숨도 못 잔 내 곁에서 고양이는 새근새근 잔다. 침대 끄트머리에서 몸을 둥글게 아기처럼 웅크리고 잔다. 새벽빛으로 고양이는 푸르게 빛이 난다. 새소리에 잠깐 깨어 창밖을 한참 내다보더니, 또 곁으로 와 푹 퍼진 자세로 잔다. 나는 아직도 잠들지 못했다. 유튜브로 잠이 잘 오는 소리 ASMR을 검색해서 빗소리와 잔잔한 음악이 뒤섞인 소리를 찾아 튼다. 내 방에만 비가 온다. 빗소리를 들으며 고양이를 본다. 규칙적으로 오르내리는 작은 몸이 평온하다. 꿈을 꾸는지 꿈틀거리다 몸을 더 웅크리고 잔다. 고양이는 무슨 꿈을 꾸는지 궁금해진다. 나는 어제 이상한 꿈을 꿨는데. 하긴 꿈은 항상 이상해. 고양이도 이상한 꿈을 꿀까. …귀엽다.

3.

겨울이는 자기가 아쉬울 때 적극적으로 변한다. (특히 간식을 먹고 싶을 때) 엉덩이를 내 다리에 바짝 붙이고, 꼬리로 휘감는다. 그리고는 나를 올려다보며 '미이이야-' 하는 작지만 굉장히 높은 미성을 낸다. 이땐 눈빛에 흉내 낼 수도 없는 아련함을 담아낸다. 그건 내가 하트랑 윙크를 몇백 번 날려도 따라잡을 수 없는 겨울이만의 필살기다. 내가 겨울이 이야기를 하면 사람들은 "에이~ 고양이가 무슨." "이번에는 사람 말을 했다고 하지 그래?" 하며 고양이를 사랑하는 팔불출의 가벼운 허풍 정도로 여기곤 하는데 나는 그게 내심 서운하다. 겨울이랑 일주일만 살아보라지! 그래도 너무 우리 집 고양이만 예쁘다 귀엽다 자랑하는 철없는 집사처럼 보일까 봐 가만히 있을 때도 많다. 세상에 고양이 예쁘고 귀여운 거 모르는 사람, 별로 없으니까.

4.

자고 일어나니 겨울이가 곁에 누워있었다. 겨울이가 항상 나의 왼쪽 발 옆에 눕는 걸 알게 된 이후로 나는 침대의 왼쪽 밑을 크게 비워두는 버릇이 생겼다. 그게 점점 심해져서 이제는 자다 일어나면 무의식적으로 발은 오른쪽 끝에 머리는 왼쪽에 둬서 완벽한 대각선으로 자고 있는 나를 발견한다. 겨울은 점점 더 침대 중앙으로 파고들어 대자로 뻗어서 잔다. 자세가 사람 같기도 하고 특이해서 웃음부터 나온다. 곁에 누워있는 겨울을 바라보다가 옆구리에 코를 박고 킁킁 냄새를 맡아본다. 깨끗한 먼지 냄새와 희미하지만 은은한 집 냄새도 난다. 부드러워서 자꾸 얼굴을 부빈다. 따뜻하다. 하루를 통째로 잃어버린 것 같은 허탈감은 아무것도 아닌 게 된다. 감정에 직면해야만 하는 순간을 유예시켜준다. 그저 곁에 잠들어 있는 것만으로도 마음이 충만해지는 것이다. 겨울은 영문도 모르고 매일 이렇게 나를 지켜내고 있다. 내부의 침입자로부터.

5.

오랜만에 겨울이 목욕을 시켰다. 요령을 터득했기에
빠른 시간 안에 끝낼 수 있었다. 겨울이는 안겨있는
것보다 바닥에 네 발을 대고 있는 것을 안정적으로 느
꼈고, 목을 주물러주자 흥분을 가라앉혔다. 물을 싫어
하는 고양이를 씻기는 일은 고양이에게 큰 스트레스
와 트라우마를 남길 수 있기 때문에 항상 마음이 불편
하다. 다 씻고 떨고 있는 겨울을 수건으로 감싸 품에
안고 있으면 마음이 뭉클해지기도 한다. 따뜻하고 새
근거리는 몸이 내 품 안에 기대어 불안과 안심의 경계
를 오가는 것이 느껴지기 때문이다. 겨울이가 나를 미
워해도 어쩔 수 없다고 생각하면서도 내 마음을 알아
줬으면 하는 이기적인 마음이 든다.

한참을 그루밍하던 겨울이 제법 뽀송뽀송해져 집안
을 뿔뿔 돌아다닌다. 하얀색 털이 눈부시다. 그런 겨
울이가 귀여워서 또 웃음이 난다. 겨울이는 혀에 담이
들 정도로 열심히 그루밍을 한다. 얘가 하얘지는 건
목욕 덕분이 아니라 과한 그루밍 때문일지도 모른다.

겨울과 함께 살면서 익숙해지는 과정을 겪었다. 나도 겨울에게 익숙해지지만 겨울이가 나에게 익숙해지는 일은 놀랍고 감격스럽다. 발톱을 깎을 때 참는 일. 포옹에서 벗어나고 싶은 충동을 참고 기다려주는 일. 내가 집에서 춤을 추거나 귀찮은 행동을 해도 한심하단 표정을 지을지언정 이해하고 지켜봐 주는 일. 앉아, 손, 하이파이브 3종 개인기를 싫은 내색 없이 해내는 일(간식이 있어야만 한다).

나만이 겨울을 받아들이는 게 아니었다. 겨울도 나에게 맞춰주고 이해해주고 기다려준다. 그 사실이 견딜 수 없을 만큼 고맙고 대견하다. 곁에서 잠든 모습을 볼 때, 나의 배 위에 누워 골골송을 부를 때, 야근을 끝내고 집에 도착하면 문을 열기도 전에 애절한 목소리로 울어댈 때, 야행성인 고양이가 내가 잠드는 시간에 함께 눕고 잠드는 일까지. 겨울의 노란 눈동자를 바라보고 있자면 세상에 더 바랄 것이 없어진다. 아무리 힘들고 지친 날에도 겨울의 볼과 이마를 쓰다듬으면 부정적인 마음은 사라지고 불순물이 섞이지 않은 행복을 느낄 수 있다. 그것은 겨울만이 해낼 수 있는 일이기에 나는 겨울이 나의 전부라고 느끼게 된다.

6.

겨울은 맨몸으로 곁에 와서 나에게 많은 것을 주었다. 아니, 주고 있다. 내가 집에 돌아오면 예외 없이 현관 까지 마중을 나오는데, 자다가도 털이 짜부라진 상태 로 걸어 나와 잠긴 목소리로 '냐-' 인사를 한다. 침대 에 누우면 겨울은 내 배 위로 올라와 품에 안기는데, 마치 스마트폰 무선충전의 원리처럼 방전됐던 내가 충전되는 기분이다. 잠이 안 올 때면 침대를 더듬거리 며 옆에 누워있는 겨울을 찾기도 한다. 손바닥에 털이 닿으면 마음이 확 놓인다. 어느 슬픈 밤엔 겨울을 품 에 안은 채 엉엉 울었더니 눈물을 보곤 화들짝 놀라 도망가 나를 울다 웃게 만들기도 했다.

겨울과 함께 살면서 달라진 건, 애정을 표현하는 것 에 익숙해진다는 것이다. 다정한 목소리로 말을 건네 는 것에 그치지 않고 마음속으로 '정말 정말 사랑해, 알지?'라고 말하면 그 마음이 고스란히 전해질 것이 라고 믿게 된다. 눈빛에 진심을 담아 바라보면 알아줄 것이라고 착각하게 되는 것이다. 그런데 종종 진짜라 고 믿을 수밖에 없다. 겨울의 마음이 나에게 닿아 느 껴질 때가 있기 때문이다. 특히 겨울의 그윽한 눈을 바라보거나 내가 집을 나설 때 우두커니 서서 나를 바라보는 모습을 보면, 믿을 수밖에 없게 된다.

나는 매일 겨울을 부르며 산다. "겨울아, 겨울아."
사계절을 겨울 속에서 산다. 이제 겨울은 계절의 의미보다, 가족의 의미로 짙어졌다. 겨울과 함께한 날들이 길어질수록 한쪽 가슴이 조금 시려오긴 하지만, 나에게 겨울은 충분히 따뜻한 단어가 됐다. 외로움을 잊게 만드는 주문이 됐다.

"겨울아, 겨울아."

합치면 정이 되는 합정

날씨가 한결 따뜻해졌다. 어제는 한겨울처럼 추웠는데 날씨 변덕이 이렇게 심하다니. 가볍게 가디건만 걸치고 집을 나섰다. 함께 일 하면서 친해진 동생들, P와 K와의 만남이었다.

힘들었던 시기를 함께 똘똘 뭉쳐 이겨내서 그런지 애틋함이 남다르다. 지금은 함께 일하지 않지만, 용건이 한참 남은 사람들처럼 틈만 나면 약속을 잡았다. 한 달에 한 번이라도 서로 만나 이야기를 나눠야 마사지를 받듯이 뭉쳐 있던 속이 풀어지는 것이다.

장소를 정하면서 P는 "합치면 정이 되는 합정에서 볼까요?" 했다. 언제나 발랄하고 재기 넘치는 P의 새로운 드립인가 했더니, 유산슬의 '합정역 5번 출구' 노래 가사였다. 합치면 정이 된다니. 낯간지럽긴 해도 우리에게는 딱 맞는 표현이라고 생각했다.

합정동 골목길에서는 평범한 주택이나 빌라도 유심히 훑어보게 된다. 예상치 못한 곳에 식당이나 카페가 숨어 있기 때문이다. 이런 곳에 이런 곳이? 하는 재미가 있다. 오늘도 이런 곳에 이런 곳이? 싶은 곳에서 저녁을 먹기로 했다.

라탄 조명과 나무로 된 테이블 때문인지 따뜻한 느낌이 물씬 나는 작은 이탈리안 음식점이었다. 우리는 느끼한 음식을 먹는 와중에 피클 같은 대화를 나눴다.

만나서 나눌만한 새로운 소식은 몇 개 없어서 과거의 추억이나 까르르 웃고 말 수 있는 농담이 이어졌다. 나는 오늘 그들의 이야기를 최대한 열심히 듣기로 했다. 일을 할 때 마음속에 얼마나 많은 울분이 고이는지 잘 알기 때문이다. 그나마 잠시 쉬고 있는 내가 그들의 울분을 적당량 덜어내 가고 싶었다.

우리의 이야기는 카페에서도 이어졌다. 일하며 버거웠던 점, 사람 때문에 힘든 일, 자신이 겪었던 어처구니없는 일들에 대해 털어놓다가 대화가 갑자기 엉뚱한 곳으로 튀었다. 놀이동산을 좋아하는지, 놀이기구는 탈 줄 아는지. 어쩌다 이 이야기가 나왔는지는 모르겠지만.

P가 말하길, "저는 놀이기구 타는 거 정말 무섭거든요. 죽을 것 같고. 근데 또 안 타면 후회할 것 같아서 타요. 그럼 타면서 기도를 막 하거든요. 죽을 수도 있으니까! 너무 무서워서 눈을 감고 타거든요? 근데 또 눈을 안 떠보면 후회할 거 같아서 살짝 떠요. 손도 위로 안 올리면 후회할지도 모르니까 얼굴까지만 살짝 올리구요." K와 나는 그게 뭐냐면서 막 웃었다.

P는 항상 우리를 웃기려 들기 때문에 웃어넘기고 말았지만, 나는 그 이야기가 자꾸 마음에 맴돌았다. 그동안 지켜봐 왔던 P의 모습을 떠올려 보면, '후회할까봐'라는 말이 그의 인생에서 굉장히 중요한 기준일지도 모른다는 생각이 들었다.

함께 일을 할 때도 그랬다. P는 현재에 최선을 다했다. 관계에 소홀하지 않고 마음을 온전히 표현하는 것. 쉬지 않고 사람들을 챙기고 끌어가는 것. 오늘 합치면 정이 되는 합정에 우리를 불러 모은 것. P는 나중에 후회할 것 같은 일을 애초에 저지르지 않는 사람이었다. 무언가 놓치고 미래에 후회하게 될 것을 당장의 불편함보다 더 두려워하는 것이다.

가끔은 그런 P가 걱정될 때도 있었다. 미련을 남기지 않기 위해서 지금의 자신을 너무 혹사할 때도 있었으니까. 빗물이 끝까지 차오른 장독대처럼 한자리에서 묵묵히 참아내는 모습을 발견할 때마다 그가 조금은 비우거나 놓아버릴 줄 알았으면, '될 대로 돼버려라' 하고 내던지기도 했으면 싶었다. 그저 나는 옆에서 "너무 참지 마."와 비슷한 말들을 건네 볼 뿐이었다.

그래도 나는 그런 P가 멋지다고 생각했다. 그가 세워 놓은 기준들이 P를 가둘 때도 있겠지만, 지키기도 할 것이라 믿어 의심치 않기 때문에.

우리는 카페가 문을 닫을 때까지 이야기를 나누다가 사월엔 한강에서 만나자며 헤어졌다. 처리해야 할 업무가 언제 생길지 몰라 노트북을 챙겨 나온 그녀들의 모습을 보며 마음 한편이 찌르르했다. 함께 지내온 시간만큼 우리의 뒷모습은 많이 닮아있었다.

기계화

지하철이 내는 굉음을 듣는다. 차라리 머릿속이 소음으로 가득 차는 게 나았다. 아무 생각도 하고 싶지 않았고, 도망치고 싶은 충동이 불쑥불쑥 솟아올랐다. 이대로 어둠 속으로 달리고 달려서 아무도 찾지 못하는 곳에 꼭꼭 숨고 싶었다. 왜 이렇게 겁이 나는 걸까.

그때 함께 일하는 동료에게 전화가 걸려왔다. 소음 때문에 잘 들리지 않았지만, M은 나를 걱정하는 말을 쏟아냈다. 나는 굉음에 묻힌 M의 목소리에 귀를 기울이며 묵묵히 듣고 있을 수밖에 없었다.

직장에서 나는 짧은 기간 동안 새로운 환경에 적응하는 과정을 여러 번 반복해 지쳐있는 상태였다. 1팀의 일을 도맡아 하다가 급히 2팀에 투입됐고, 다시 돌아와 1팀의 다음 일정을 준비하는 와중에 3팀 배정을 받았다. 3팀에 대해서는 정보가 거의 없는 상태였고, 며칠 만에 내 몫을 해내야 한다는 사실이 부담으로 다가왔다. 먼저 3팀에 있었던 M은 본인도 힘들 텐데 나를 위로했다.

"언니가 로봇이야? AI야? 모든 걸 다 알고, 다 해내면 사람이 아니지."

M의 말에 나는 잠시 할 말을 잃었다. 가슴이 물에 잠긴 것처럼 먹먹해졌다. 그래. 모를 수도 있지. 못 해낼 수도 있지. 그게 사람이지. 하지만 세상은 그렇지가 않잖아. 나는 하고픈 말을 꾹 삼켰다. 지금만큼은 진

심으로 내가 로봇이었으면 좋겠다는 생각이 들었다.

내가 일하기 위해 만들어진 기계였다면 어땠을까. 제
작된 지 30년 된 구형 버전이긴 하지만 꾸준히 업데
이트도 하고, 고장 나면 수리도 받으면서 그럭저럭 사
회발전에 발맞춰 온 보급형 로봇의 모습이려나. 기능
이 좀 떨어지는 구형 로봇이면 어때. 적어도 스트레스
를 받거나 감정에 흔들리는 일은 없겠지.

3팀으로 가면서 승진이라고 하기엔 애매하지만, 한
단계 위의 업무를 맡았다. 조금 더 재미있게 일할 수
있지 않을까 기대하는 마음도 있었지만, 마냥 기쁘지
가 않았다. 이 자리가 이해관계가 얽히고설켜서 만들
어진 걸 모르지 않았기 때문이다. 내가 팀을 옮기기
전, 이 팀에서 부당한 일을 겪고 회사를 반강제적으로
나가게 된 사람이 있었다는 것도.

하고 싶은 것을 할 수 없고, 말하고 싶은 것을 말할 수
없다. 정답이 없는데 정답이 있었고, 사람이 있는데
사람이 없었다.

'알 만한 사람들끼리 왜 이래.'
'내 뜻 뭔지 알지?'

뻔히 보이는 속마음들이 어떤 신호의 형태로 오가는 것만 같다. 그 복잡한 신호 속에서 나는 빠르게 전산 과정을 거치고 출력값을 토해낸다. 이제는 속마음과 다른 표정을 짓고 대답을 할 줄 안다. 능숙해진다는 건 이런 것을 뜻하는 걸까.

어느 정도는 이미 기계화 돼 버렸는지도 모른다. 욕심도, 열정도, 자부심도 없이 일하는 내가 돌연변이처럼 느껴질 때가 있다. 인간들 속에 숨어든 로봇이 된 것만 같다. 아니면 인간인 척하는 로봇들 사이에서 홀로 이상함을 느끼고 있는 걸지도 모르지. 나는 사람들이 무섭고 겁이 난다.

얼마 전 퇴근하고 집에 가는 심야버스 안에서 이런 메모를 남겼었다.

'너무 심각한 세상에 와 있는 것 같다. 웃을 일 따위 없는, 웃으면 모든 이가 이상하게 쳐다보는 세상.

심각한 눈빛, 진지한 입가, 무미건조한 목소리, 피로
와 부정적인 감정으로부터의 잠식.

집으로 향하는 길이 낯선 곳에서 오랜 시간을 들여 빠
져나오는 길인 것만 같다. 창밖의 불빛은 지나치게 밝
고, 밤은 유난히 까맣다.'

나는 어떤 세상에서 빠져나오고 있는 걸까. 모두가 웃
는 와중에 나만 웃지 못했다. 이 터널의 끝은 어디일
까. 의문만이 꼬리가 길게 나를 쫓아온다. 검은 창문
에 비친 나의 눈가가 굳어있다. 빛을 잃은 눈동자가
자꾸만, 흔들린다.

흑지에도 글을 쓴다

아이폰에 블랙 모드가 생겼다. 아이폰 메모 앱이나 에버노트에 자주 기록하는 나는 이젠 백지에 이어 흑지에도 글을 쓴다.

백지는 눈이 소복이 쌓여 모든 것이 지워진 설원 같다면, 흑지는 별들 간의 거리가 너무 멀어 빛이 보이지 않는 우주 같다. 글이 쓰이는 배경은 항상 미지의 영역이고, 마주하면 막막해지기도 하니까. 무엇인가 분명 존재하지만, 그것을 가리고 있는 천막처럼 느껴지기도 한다.

글을 쓰고자 할 때는 거창하진 않아도 의미 있다고 생각되는 것들을 발굴해낸다. 한 걸음, 한 걸음. 그 위를 또박또박 걸어 나가며 하나씩 건져낸다. 글쓰기란 어쩌면 그런 과정의 연속인지도 모른다.

그런 고독한 일을 왜 자진해서 하느냐면 그냥 그래야 할 것 같아서다. 특별한 이유나 사명감으로 글을 쓴 적은 거의 없다. 그저 그래야 할 것 같은 느낌이 나를 백지와 흑지 앞에 서게 만든다. 쓰고 싶은 글이 나를 찾아오기도 하고, 마음속에 불분명한 무언가를 직시

하고자 할 때도 적으면 좀 나을 것 같아서, 적지 않으면 안 될 것 같아서 쓴다.

하얀 설원이나 공허한 우주는 누구에게나 존재하고, 그런 곳에 덩그러니 있노라면 끝없이 사유하며 무엇인가를 찾으려 들게 되는 건 본능과 다름없지 않다.

마음속에 백지 하나 품지 않고 살아가는 사람이 있을까. 종이 위에 스며든 잉크 방울처럼, 농축된 마음 하나 가슴에 달아놓지 않고 사는 사람이 있을까. 나는 사람들이 글을 썼으면 좋겠다. 부끄러움일랑 잠시 접어두고, 오래 품고 있던 이야기를 눈처럼 소복이 쏟아냈으면 좋겠다.

독서 등 불빛 아래 고요히 누워있는 검은 활자들을 사랑한다. 우리는 하얀 백지로 와서 젖은 활자가 되어 시로 남는다. 서성이던 그림자와 수없이 반복되는 순간의 장면들이 어른어른 백지 위로 눕는다. 불면하는 밤하늘 아래 살아있는 시를 사랑한다.

빨간 벽돌집 비밀의 방

내가 사는 동네는 빨간 벽돌로 지어진 다세대 주택이
즐비한 곳이다. 이 집이 저 집 같고, 저 집이 그 집 같
은 동네. 걷다 보면 쉽게 길을 잃는 동네. 나는 수많은
빨간 벽돌집 중 지금의 집에 첫눈에 반해 이사를 왔
다. 집을 알아보러 다니던 초여름, 집 앞에 서 있는 감
나무 한 그루가 유난히 초록빛이었다. 나무 한 그루가
뭐라고. 그 여린 나무가 삭막한 서울살이에 지친 나에
게 소소하지만 확실한 위로를 전하는 것처럼 느껴졌
다. 그렇게 나는 3층짜리 다세대 주택 1.5층에 자리를
잡았다.

이곳으로 오기 전에 지냈던 집들은 드러누우면 세간살이가 몽땅 한눈에 들어오는, 집이라 하기에도 멋쩍은 원룸 방 한 칸이었다. 집이라기보단 임시거처에 가까웠다. 휴일에 집에서 쉴 때 왠지 모르게 가슴이 답답하다는 생각이 들 때쯤 방이 따로 있는, 조금은 넓은 집을 알아보기 시작했다. 이 집은 방이 두 개에 생각보다 널찍한 거실 겸 부엌도 있다. 시세보다 방세가 저렴하기까지 했으니 더 고민할 필요가 없었다.

벌써 이사 온 지 3년이 넘었다. 1년 내지는 2년 계약으로 자주 이사를 해야 하는 서울 월세방의 실정에도 불구하고, '월세는 올리지 않을 테니, 오래만 살아다오.' 마인드인 집주인 아주머니 덕분에 나는 이곳에서 월세 인상 없이 무사히 지낼 수 있었다. 오래된 집이라 보일러를 새것으로 교체하거나, 아랫집에 물이 샌다고 해서 타일 공사를 하는 등의 번거로운 일을 감수해야 했지만, 그래도 나는 지금의 집이 좋다.

이사 온 뒤 가장 기뻤던 것은 덜컥 방이 두 개나 생긴 덕분에 작은 방을 '드레스룸'으로 쓸 수 있다는 거였다. 처음 이사 왔을 때 너무 들뜬 나머지 크기가 적당한 서랍장과 행거를 구매해 직접 조립하고 배치하면서 기대에 부풀어 있었다. 하지만 이상과 현실은 달랐다. 나의 드레스룸이 오래 지나지 않아 창고화 돼 버린 것이다. 이것저것 잡다한 것들은 몽땅 그 방으로 들어가기 시작했다.

옷 뿐만 아니라 가방, 철 지난 이불, 잡동사니를 담은 상자들, 여행용 가방, 크리스마스트리, 취미로 만들었던 레고 블록들, 전자기기 빈 박스와 짝 모를 전선들, 여행에서 사 온 기념품과 선물 받았지만 사용하지 않는 것들… 그야말로 외면하고 싶은 온갖 것들이 들어가 있다. 안 입는 옷들이 행거에 반 이상을 차지하고 있었고, 서랍장 깊숙이 들어간 것들은 봉인이라도 된 것처럼 다시 찾아지는 일이 없었다. 물욕이 별로 없음에도 불구하고 미니멀 라이프로 나아가고픈 나의 시도는 번번이 실패했다.

정리도 잘 안 되는데, 옷에 고양이 털이라도 묻으면 더 처치 곤란이 되기 때문에 옷방은 자연스럽게 '금묘의 구역'이 됐다. 그래서 옷방에 드나들 때는 재빠르게 문을 여닫는 버릇이 생겼다. 겨울에게 틈을 안 주는 것이다. 그래서인지 겨울에게 옷방은 이 집에서 유일하게 점령하지 못한 미지의 영역으로 인식된 듯하다. 물론 나에게도 비밀 구역처럼 여겨졌다. 항상 문을 꽉꽉 닫아놓기 때문에 마치 우리 집에 처음부터 없었고, 지금도 없고, 앞으로도 없을 공간처럼 느껴지기도 했다.

하지만 겨울의 호기심은 마를 날이 없어서 옷방 문이 열리기라도 하면 눈을 동그랗게 뜨고 내부 구조를 스캔하는데 혈안이 된다. 옷방 문이 살짝 덜 닫히는 걸 목격하면 이 순간만을 기다렸다는 듯이 이마로 문틈을 비벼서 결국 문을 열고 안에 들어가고 만다. 집념이 아주 대단하다. 일단 들어가면 이곳저곳 헤집어 놓은 채 가장 깊숙하고 아늑한 곳에 웅크리고 있기 일쑤다. 숨바꼭질하듯이. 붙잡혀 나와도 겨울은 끊임없이 시도하는 의지를 보였다.

옷방에 집착하는 겨울을 보면서 문득 나의 어린 시절이 떠올랐다. 틈만 나면 옷장에 숨어서 숨바꼭질하던 시절이 있었다. 엄마는 내가 옷장이나 서랍장 안에서 발견됐던 순간을 말해주곤 한다. 엉덩이를 길게 빼고 엎드려 누운 채 잠들어있었다면서. 아마 어린 나에게 옷장 안은 독립적이고 안전한 공간이었던 것 같다. 고양이가 구석을 좋아하는 것처럼.

나는 서른의 나이만큼 컸고 독립된 집이 있다. 이제 정말 안전하게 숨을만한 공간이 생긴 것이다. 게다가 어릴 때 숨어들던 옷장보다 훨씬 큰 옷방도 있다. 어쩐지 몸집이 아주 큰 사람이 된 것 같다. 예전에는 이사도, 여행도 홀홀 잘 다녔는데. 가진 것들이 많아지니까 몸이 너무 무겁다. 다달이 내야 하는 월세도 너무 버겁다. 제 몸집보다 훨씬 큰 집을 이고 다니는 달팽이가 된 것 같을 때가 있다. 어깨 위엔 책임져야 하는 것들이 점점 늘기만 하고, 덜어지진 않는다.

더는 옷장(옷방)이 아늑하거나 편안한 공간으로 느껴지지 않는다. 현실적인 나의 삶을 고스란히 배열해 보여주는 것처럼 막막한 공간이 돼 버렸기 때문이다. 바쁘게 살면서 미처 살피지 못한 것, 처치 곤란해 숨겨둔 것들이 그곳에 있다. 나를 제대로 돌보지 않았다는 것에 대한 반증처럼 느껴지기도 한다.

이번에는 진짜 옷방을 정리해야 할 것 같다. 더 쌓아 두다가는 옷방이란 공간 자체를 통째로 버리고 싶어 질지도 모른다. 그러면 집 안에 가장 구석진 곳이 없어질 거고, 겨울의 호기심은 멈출 거고, 숨고 싶은데 막상 숨을 수 있는 곳이 사라진다는 건 왠지 좀 슬픈 일이니까.

나는 지난 것들, 처리되지 못하고 축적된 것들을 아쉬워 그대로 두는 건지, 그저 무신경하게 여겼던 건지 곰곰이 생각해보려 한다. 봄이 오면 어두운 나의 옷방에도 볕이 들기를 바라면서.

결이 맞는 사람

방송작가로 일하면서 동료 L을 만났다. 신기하게도 자매처럼 이름에 성 뿐만 아니라 돌림자를 쓰는 가운데 글자도 똑같았다. 비슷한 점도 참 많았다. 이렇게 잘 맞을 수 있을까 싶을 정도로 대화가 잘 통하는 우리는 서로를 '결이 맞는 사람'이라고 표현한다. 이 표현이 얼마나 깊은 애정을 담고 있는지 나는 안다. 거스를 수 없는 것들이 지천으로 널린 세상에서 같은 결을 가진 이를 만난다는 건 흔치 않은 일이기 때문이다. 그렇기에 더 소중하다.

L과 나는 만나면 일, 인간관계, 책, 글, 모임, 연애, 고민 등 모든 분야에 걸쳐 이야기를 나눈다. 마치 단계를 정해놓고 하나하나 도장 깨듯이. 진지한 것을 우습게 여기지 않기에 조금 더 본질적인 것들에 관해 이야기 나눈다. L과 이야기를 나누고 집에 돌아갈 때면 마음이 뿌듯해지고 든든하다. 정신이 풍요롭게 차오른 상태로 돌아갈 수 있는 거다.

내가 다음 프로그램을 알아보고 있다고 하자 L은 여느 때와 같이 "나는 언니가 글을 썼으면 좋겠는데." 하며 입을 내민다. L은 나의 글을 꾸준히 읽어주는 몇 안 되는 친구 중 한 명이다. 나는 그런 L에게 한없이 고마움을 느낀다. 그도 요즘엔 글을 쓰는 일에 관심이 커졌다. 최근에는 글 쓰는 사교 모임에도 들었다고 했다. 서로 나눌 이야기가 더 늘어난 셈이다.

우리는 서로 읽은 글에 대해 이야기 한다. 누가 쓴 글이든, 그것이 서로가 쓴 글이든. 읽고 난 뒤 생각을 나눈다. 어떤 점이 좋았는지, 아쉬운지도. 그리고 다시 만날 약속을 잡으며 (그게 당장 내일이어도) 만나서 함께 글을 쓰기로 한다. 나는 이런 흐름이 정말 엄청나게 좋다. 마음이 쉬이 진정되지 않아서 집에 와서 또 글을 쓴다. 이야기를 나누면서도 '꾸준히 써나가는 것밖에는 달리 방법이 없다'는 걸 깨달았기 때문이다.

나는 읽는 것, 쓰는 것, 나누는 것, 대화하는 것을 사랑하는 사람들을 사랑한다. 나의 곁에 있는 사람들이 그런 것들을 사랑할 때 더 큰 사랑을 느낀다. 무언가를 좋아하게 되는 건 어떤 선 안으로 진입하는 것과 같다. 그 선 안에서 우리는 더 깊고 넓게 나눌 수 있다. 그게 참 기쁘다.

그리고 선 안에 들어온 이들과 함께 있다 보면, 나는 계속 글을 쓰게 될 것만 같다. 그런 믿음이 생기고 만다. 계속 글을 써도 괜찮겠다는 착각에 빠진다. 그게 착각이든 사실이든 글을 쓰는 데 큰 동력이 된다는 것만큼은 분명하다.

나는 사람들과 함께 감정과 생각을 꺼내는 것에 도전하고, 그 행위에 거리낌을 잊어가는 흐름을 이어나가고 싶다.

어쩌면 그게 우리를, 우리의 관계를 계속 건강하게 만들어줄 것만 같다.

잘 저어서 드세요

"카페모카 아이스로 한 잔 주세요."
"휘핑크림 올려드릴까요?"
"음… 조금만 올려주세요."

단맛이 나는 커피를 자주 마시진 않는다. 주로 아메리
카노나 카페라떼만 고집하는 편인데, 단 게 유독 당길
때가 있다. 바닐라 라떼, 카페모카, 아인슈페너, 크림
라떼 이런 커피들. 막상 마시고 싶어도 너무 달까 봐
안 마실 때가 많다. 너무 달면 한 잔을 다 마시는 게
곤혹스러워진다. 그래서 꼭 바닐라 라떼는 덜 달게,
카페모카의 휘핑크림은 조금만요, 한다. 너무 단 것보
다는 적당히 단 게 좋으니까.

그런데 항상 느끼는 거지만 그 '적당히'가 가장 어렵다. 적당히도 아니고 '조금'이면 된다. 근데 그 '조금'이 사람마다 달라서 곤란한 일이 생기곤 한다.

특히 사람을 만날 때 그렇다. 나는 상대에게 '조금'을 바라는 건데, '조금'이면 모든 갈증이 가실 것 같은데, 상대는 그 '조금'도 안 해줄 때가 있다. 그 조금이 없다고 해서 사랑이 없는 건 아니지만 가끔은 그 조금이 사랑을 모두 저버리는 것처럼 느껴질 때도 있는 것이다.

단어 그대로 조그마한, '조금'이라는 게 별거인가 싶다가도, 요즘은 이런 생각이 든다. 이런 것들이 나중에 후회를 남기고 만다고. 그 사람이 바라는 게 고작 그거였는데 조금만 더 잘해줄걸. 별로 어렵지 않아서 해줄 수도 있었는데. 못 해준 것들만 떠오르는 거다.

마치 다 마신 커피잔 바닥에 고여 있는 바닐라 시럽처럼. 아, 그래서 커피가 별로 안 달았구나. 하듯이.

나는 사랑 안에 '후회의 여지'가 조금은 녹아 있길 바란다. 후회하게 될지도 모른다는 마음. 이 사람에게 상처를 주는 것이, 이야기에 귀 기울이지 않는 것이, 마음을 외면하는 것이, 원하는 것을 해줄 수 있음에도 해주지 않았던 것이, 나중의 나를 후회하게 만들 거라는 상상. 나의 소홀한 마음이 상대를 단념할 수 있게 만들 수도 있다는 생각. 자주 휘저어서 그것들을 '지금'에 녹여냈으면 한다. 나중에 저어봐야 소용없는 경우가 많다. 생각날 때 한 번씩 휘저어주는 수밖에.

연애도, 일도, 인간관계도 적당히 달다면 더할 나위 없겠지만 쉽지 않은 일인 건 확실하다. 30년 넘게 한 사람과 살아온 엄마가 그랬다.

"미운 정이 들면 어쩔 수 없어~ 그러려니 할 때가 오는 거야."

너무 그러려니 해서 그런가. 엄마는 커피든 뭐든 너무 달아서 인상을 쓰면서도 결국 안 남기고 다 마셔버리는 버릇이 있다. 엄마가 그러지 않으면 좋겠지만, 가끔은 너무 달아도 꾹 참고 마실 수밖에 없는 관계도 있는 걸까 싶다.

어쩔 수 없는 게 너무 많다. 수많은 감정이 뒤엉켜 있는데 어떻게 '조금', '적당히'의 기준이 명확할 수 있을까. 너무 섬세하고 미묘해서, 혹은 둔감하고 미련해서 별수 없는 관계도 있는 거니까. 나의 '조금'이, 당신에게는 '너무 많이'일 수도 있는 거다.

이런 생각이 들면 허탈하고 답답해지기도 한다. 그렇다고 해서 말도 안 되게 달거나 쓴 것을 무조건 꿀꺽꿀꺽 삼켜버릴 순 없는 노릇이다. 서로 끊임없이 양과 농도를 조절하며, 후회의 여지가 고여 있지 않도록 마음을 다하는 것밖에는 방법이 없지 않을까.

멀어지는 틈에서도 꽃은 핀다

블랙커피를 꾸역꾸역 다 마셨다. 시간이 조금 지나고 나니 심장이 유난히 크게 요동치는 게 느껴진다. 카페인이 몸속 구석구석 퍼졌고 두근거리는 심정을 어쩌지 못하고 책상 앞에 앉았다. 손목뼈 마디가 모니터 불빛에 그늘져 도드라져 보인다. 키보드 위에서 손가락을 움직일 때마다 힘줄이 파닥거리는 것이 생경하게 다가온다. 괜스레 손등을 쓸어본다. 얇은 살갗의 감촉이 내 것이 아닌 것처럼 느껴진다.

평상시 자주 듣지 않던 음악을 듣고 있다. 그동안 하나씩 추가되어 수많은 곡이 쌓여있는 뒤죽박죽 엉터리 음악 목록이 랜덤으로 재생되고 있다. 한 곡이 끝나고 다음 곡이 준비되는 동안 몇 초의 정적이 흐른다. 그 틈에 '멀어지는 것'에 대해 생각한다. 어떠한 기억으로부터 멀어지는 것, 사람 사이가 멀어지는 것, 예전의 나와 지금의 내가 멀어지는 것, 감정의 역동으로부터 멀어지는 것, 소원해지고 소멸해가는 것에 대해 생각한다.

이미 멀어진 것은 쉽게 좁혀지지 않는다. 서운하고 아쉬운 감정이 찾아오지만, 그 감정으로부터도 멀어진다. 어느새 잊고 또 다른 기억을 쌓아가고, 또다시 그 기억으로부터 멀어지면서 살고 있다. 인생은 어쩌면 그런 과정의 연속인지도 모른다. 이미 지나온 길은 다시 걸을 수 없다.

하지만 멀어지는 틈에서도 꽃은 핀다. 멀어지는 것은 다른 의미에서는 다시금 어딘가에 가까워지는 것. 기대와 설렘이 있다. 듣고 있던 음악이 끝나도 곧 다음 곡이 재생되는 것처럼. 계절이 가고 또 계절이 오는 것처럼. 계절에 따라 지고 또 피어나는 꽃처럼.

인연도 마찬가지다. 멀어지는 사이가 있다면 새롭게
다가오는 인연도 있다. 과거의 기억과는 멀어지지만,
내일의 나와는 가까워지고 있다. 자꾸만 새로운 것이
찾아오고, 나를 변하게 한다. 그런 변주에서 길을 잃
지 않는 것. 오르내림 속에서 평온을 찾는 것. 그것만
이 지금의 과제다.

가끔은 굳이 멀어지는 것에 의미를 두지 않는 편이 낫
겠다는 생각이 든다. 그냥 흘러가는 대로 두면 어딘
가엔 닿겠지, 하고 마음을 편히 두는 거다. 물속에서
도 가라앉지 않으려면 온몸에 힘을 빼야 한다고 한다.
마음에 잔뜩 들어간 힘을 빼고 편안히 두면 어둠에 가
라앉지 않고 서서히 떠오를지도 모른다.

카페인 때문에 두근대던 심장 박동도 점점 느슨해진
다. 떠나보낸 것들을 그리워하는 마음도 조금씩 옅어
져 간다.

스쳐 간 사람들이 어딘가에서 웃으며 잘 지내기를. 가끔은 서로를 추억하며 그리워하기를. 지나간 것이 지금의 행복을 침범하지 않기를. 멀어져 간 순간들이 내가 억지로 밀어낸 것이 아니기를 바라본다. 어쩌지 못하는 것들을 묵묵히 받아들이기로 한다.

긴 장마

비가 오래, 많이 내렸다. 근 몇 년을 되돌아봐도 이렇게 오래도록 내리는 비는 못 봤던 것 같다. 어느 날은 운치 있게 추적추적 내렸고, 어느 날에는 세상이 끝날 것처럼 천둥 번개와 함께 퍼붓듯이 쏟아졌다. 내리다가 그치다가를 반복했고 그친 시간보다 내리는 시간이 더 길었다. 그러는 동안 눅눅한 습기와 가라앉은 듯한 공기에 익숙해졌고, 나에게 작은 우울감이 달라붙는 걸 느꼈다.

나는 비가 내리는 걸 좋아한다. 빗소리를 좋아하는 건 알고 있었지만 이번에 제대로 깨달았다. 나는 비를 좋아하는구나. 그것도 멸망할 것처럼 쏟아지는 비를, 거침없이 내리치는 번개와 천지를 울리는 천둥소리까지도. 긴 장마는 수해를 낳기 때문에 이렇게 오래도록 내리는 걸 좋아하는 건 아니지만, 그런 '순간'을 좋아하는 것 같다. 세상의 마지막처럼 느껴지는 순간. 완전히 끝나버린 것 같은, 극한의 상황. 나는 멸망을 기대할 때가 있다.

비를 좋아하는 것과 별개로 빗속에 오래 있다 보니 몸과 마음도 가라앉았다. 장마가 이어지는 동안 나에게는 많은 일이 있었다. 내가 감당하기 힘든 일들이 쏟아지는 빗줄기가 되어 무던한 나를 적셨고, 열기와 습기 속에 방치된 쓰레기 냄새처럼 내 마음속 깊은 곳에서 악취가 나기 시작했다. 무언가 속에서 썩은 것 같았다. 그건 부정이기도 했고 불안감이기도 했고, 포기와 실망이기도 했다. 좌절이기도, 불신이기도, 모멸감이기도 했다. 지나치게 긴 장마가 날 이렇게 만든 거라면 차라리 나았을지도 모른다.

일도 사람도, 사랑도 아무것도 믿을 게 없다는 생각. 인간관계란 내가 아무리 단단히 쌓아올려도 거센 빗줄기에 금세 무너지는 모래성과 같았다는 걸. 여름 속에서 나는 자주 허망함을 느꼈다.

빗소리로 가득 찬 빈방에서 문득, 퇴근하는 지하철에서 문득, 새벽에 눈을 멀거니 뜨고는 문득, 집으로 향하는 골목길 가로등 불빛에 문득. 비가 내리는 내내 어떤 진동처럼 전해졌다.

이 여름을 끝으로 나의 사랑이 끝이 났구나. 여름의 열기를 제대로 느껴보지 못하고, 빗물에 차갑게 식어 결국 지나가고 말았구나.

나는 최대한 덤덤하게 이 여름을 지나고 있다. 마음속에 고여 응축됐던 감정들이 볕에 마르고 결국 사라지기를 기다리면서. 차가운 계절이 오면 아주 조금의 습기도 바싹 마르거나 얼어붙을 거고, 더는 남아있지 않을 것이다.

사랑과 태풍의 상관관계

일을 그만두고 곧바로 K가 사는 곳으로 날아왔다. 일은 어차피 그만둘 생각이었고 그만둔 이후에는 무조건 그와 함께 있어야겠다고 결심했었다. 그가 머무는 곳은 미국 중부에 위치한 작은 도시. 미국 댈러스 공항에서 국내선으로 몇 시간을 더 이동해야 했다. 비행기에서 보낸 긴 시간만큼 내가 꽤 무모한 결정을 했다는 걸 느낄 수 있었다.

K를 다시 만난 건 일 년 만이다. 공항에 마중 나와 있는 그를 보며 안도감과 어색함이 동시에 들었다. 낯선 곳에 그와 함께 있다는 게 믿기지 않았지만, 어느새 반가움이 여러 복잡한 감정을 잠재워주었다. 그는 지난 일 년간의 미국 생활 끝에 완전히 적응한 듯 보였다. 차분한 성격의 그가 한층 더 차분해진 것 같기도 했다.

이곳은 큰 대학을 중심에 두고 형성된 도시였는데 왠지 모르게 동네 전체가 휑한 느낌이 있었다. 대부분의 것이 필요에 의해 만들어진 느낌이었고, 거대한 영화 세트장에 들어와 있는 것 같기도 했다. 그런데도 나는 이곳에서 지내게 될 시간을 기대할 수밖에 없었다. 무엇보다 청명한 7월이었고 그가 구경시켜준 캠퍼스는 아름다웠다. 해 질 무렵의 호수 산책로와 카페테라스에 앉아 커피를 마시는 시간은 평화로웠다. 삼 개월 정도를 미국에서 그와 함께 보낼 예정이었다. 해외에 이렇게 오래 체류하는 건 이번이 처음이었지만 그가 곁에서 알뜰살뜰 챙겨주는 덕분에 적응하는 건 어렵지 않았다.

미국에서 지낸 지 한 달쯤 지났을 때, 원래 지내던 집의 계약 기간이 만료되면서 이사를 해야 했다. 이사할 집은 내가 오기 전부터 이미 정해져 있었는데 학생들을 대상으로 신청을 받고 원하는 조건에 따라 배정을 해주시는 식이었다. K가 배정받은 집은 303호. 침실이 하나 딸린 아파트였다. 따뜻한 느낌이 강했던 전 집에 비해 새로 이사한 집은 사뭇 차갑게 느껴졌다. 높은 천장과 새하얀 벽 때문인 걸까. 쾌적하긴 했지만, 가구를 옮겨 채웠음에도 불구하고 집이 꽤 비어 보이는 건 어쩔 수 없었다.

새로운 집으로 이사를 하고 얼마 지나지 않아 나는 뭔가 이상하다는 걸 느꼈다. 잠을 자도 개운하지 않고 어깨나 허리가 뻐근했다. 잠도 깊게 들지 못하고 중간에 깨기 일쑤였다. 몸이 새집에 적응하지 못하고 있는 걸까. 푹 잠들지 못하는 나날이 이어지다 보니 늘어져 있는 시간이 많아졌다. 딱히 할 게 있는 건 아니었지만 그렇다고 온종일 잠만 자려고 여기 온 것도 아니었다. 나는 허전함을 메우기라도 할 심산으로 매일의 기록을 빼곡하게 남기기 시작했다.

찌뿌둥한 몸 상태처럼 K와 나 사이에도 걸리는 무언가가 있다는 것을 깨달은 건 얼마 지나지 않아서였다. 무언가를 써 내려가다 보면 내면에 돋아난 거스러미를 발견하게 된다. 나는 그런 걸 도무지 참지 못하는 사람이었다. 문제가 생기면 원인을 샅샅이 찾아내고 빠르게 해결방안을 찾는 타입이었다. 하지만 굳이 헤집어 보지 않아도 문제점은 알아서 제 모습을 뾰족하게 드러낸 채 여기저기 굴러다니다가 균열을 만들어내고야 만다.

그날은 와인을 마시고 있었다. 우리는 진부하지만 언제나 흥미를 불러일으키는 주제에 관해 이야기하고 있었다. 서로의 지난 연애에 대해서. 그는 나의 질문에 훌훌 모든 것을 털어놨다. 그렇게 자세히 물어볼 생각은 아니었는데 이야기가 끝날 때쯤 다음 질문이 생각났기 때문에 대화가 이어질 수밖에 없었다. 덕분에 K의 지난 연애와 연애관 같은 것들을 속속들이 들을 수 있었다. 아예 몰랐던 것도 아닌데, 그날은 뭔가 찜찜했다. 일을 좀 더 하겠다는 그를 남겨두고 침실로 향했다. K의 이야기를 곱씹으며 그의 연애, 그리고 그의 연애를 통해 떠오른 나의 지난 연애들이 얼마나 극

적이었는지, 나에게 얼마다 다채로운 감정을 가져다
주었는지 떠올릴 수밖에 없었다.

이런 생각은 좋지 않다. 사랑이 항상 시련과 아픔을
동반한다고 착각해서는 안 된다. 그런 감정들은 유리
창을 통과해 여러 가지 색깔로 굴절돼 뻗쳐나가는 빛
들과 다름없다. 본질이 아니다. 하지만 나는 이미 조
금 취했고, 뾰족한 모서리를 발견해 버린 터였다. 어
떤 감정에서 비롯된 건지 확실히는 모르겠지만 무언
가 깊은 곳에서 북받쳐 오르는 걸 느꼈다. K가 침실로
돌아왔을 때 나는 눈물을 터트리고 말았다. 그는 당황
한 채 우는 이유를 물었지만 나도 정확히 모르는 감정
을 어떻게 설명할 수 있을까. 그는 한참을 고심하더니
물었다.

"그때가 그리워?"

나는 아무런 대답도 하지 못했다. 다툰 것은 아니었지
만 차라리 다투는 게 훨씬 나았겠다는 생각이 들 만큼
참혹한 기분이었다.

K는 언제나 다정했다. 감정과 표정은 고요했고 나를 대하는 모습도 한결같았다. 나는 꽤 오랫동안 그의 주변에 넘으면 안 되는 선이 그어져 있다고 느꼈다. 나를 차분하게 사랑하는 그 사람. 자신의 감정을 확신하는 사람. 미동조차 없는 감정에 오히려 의심을 품게 만드는 사람. 본인은 흔들리지 않지만, 상대를 흔들리게 만들 수도 있는 사람. 그래서 나는 그의 앞에서 발가벗은 사람처럼 창피할 때가 많았다. 요동치는 나의 감정들이 그의 앞에서 너무나도 요란하고 별난 것이 돼 버리는 것이다. 한 번도 빠트리지 않고 민낯을 다 내보이고 마는 내가 미숙하게 느껴져 견딜 수가 없었다. 하지만 쉽지 않은 장거리 연애를 하기로 결정한 건, 이런 K의 확고한 감정과 변함없는 성정에 기대를 걸었기 때문이었다.

밤이 깊어간다. 믿지 못할 만큼 큰 괴성을 내는 천둥 번개가 창밖으로 번쩍이기 시작했다. 평소와 마찬가지로 잠을 설쳤다. 새벽 몇 시쯤이나 됐을까. 나는 슬그머니 거실로 나와 환해졌다가 어두워지기를 반복하는 창밖을 바라보기 시작했다. 그의 질문이 번개가 칠 때마다 내 마음속을 갈라놨다. 그가 말한 '그때'는 우리의 만남이 환희를 가져다주던 시절일까, 혼란스럽지만 황홀했던 지난 연애를 말하는 걸까. 빗줄기는 잦아들 기미가 없었다. 비가 쏟아지는 소리를 들으며 3층 베란다까지 물이 차오르는 상상을 했다.

침대에 다시 누운 뒤로도 잠은 오지 않았다. 새벽 여섯 시가 넘어서야 겨우 잠들 수 있었다. 얼마나 지났을까. 거실에서 들려오는 인기척에 잠에서 깨어났다. K가 외출 준비를 하고 있었다. 시계를 봤더니 아홉 시가 조금 넘은 시간이었다. 일어나기로 한 시간보다 훨씬 이른 시간. K는 나를 깨우지 않고 아주 조용히 집을 빠져나갔다. 내가 우리의 관계를 망쳐버린 건 아닐까 서글픈 마음이 들었다. 어젯밤의 천둥 번개가 환영은 아니었을까, 의심이 들었지만 나에게 왜 우느냐고 묻는 그의 얼굴만은 기억 속에 또렷하게 남아 있었다.

비는 이미 그쳤고 밖은 어두컴컴했다. 나는 속을 풀기 위해 라면을 끓여 먹었다. 깨끗하게 설거지를 해 놓은 다음 커피도 한 잔 내려 마셨다. 그러고도 술기운이 남아있어 다시 침대에 누워버렸다. 잠깐 눈을 붙여야겠다고 생각한 찰나, 현관문이 열리는 소리가 들렸다.

K가 미팅을 마치고 집에 잠시 들른 모양이었다. 나는 그대로 이불에 얼굴을 묻어버렸고, 그는 나를 부르지도 깨우지도 않고는 욕실에 들어가 샤워를 했다. 그리고 곧 부엌에서 달그락거리는 소리가 들렸다. 내가 설거지를 해놓은 걸 봤는지 그가 방으로 들어왔다. 침대에 살짝 걸터앉은 그가 나를 불렀다. "카레 먹을 건데 같이 먹을래?" 다정한 목소리. 나는 그를 돌아봤고, 말없이 고개를 저었다. 도저히 그의 얼굴을 마주할 자신이 없었다.

이대로는 안 되겠다 싶어 홀로 집 근처 카페에 가기로 했다. 준비를 마치고 집을 나서는 나에게 K는 어딜 가느냐고 물어왔다. 자신도 곧 다시 나가야 한다면서 차로 태워주겠다고 했다. 이 동네는 자동차나 대중교통 없이는 마트조차 갈 수 없을 만큼 접근성이 떨어졌다. 가장 가까운 카페에 가려고 해도 삼십 분 가까이 걸어야 했다. 하지만 나는 굳이 혼자 갈 수 있다며 고집을 부렸다. 그는 경직된 얼굴을 다시 모니터로 돌리며 알겠다고 답했다.

집을 나서자 바람이 거세게 불어왔다. 역시 길에는 아

무도 없었다. 아무리 생각해도 사람이 사는 곳 같지가 않다. 큰 도로에 자동차만 간간이 질주해 지나갈 뿐이었다.

카페에 도착해서는 책을 읽다 멈추고, 읽다 멈추고 했다. 그동안 기록했던 일기를 다시 읽어보며 생각했다. 단순한 감정 기복이 아니라 오래 고민하던 부분이 터진 거라고. 연인 관계가 무덤덤한 게 이상한 건 아니지만 생각해보면 무척 이상한 거라고. 그새 한차례 비가 내리더니 곧 그쳤다. 하늘은 흐리지도 밝지도 않은 어정쩡한 빛깔을 띠고 있었다. 시간을 끌다가는 또다시 비가 한바탕 쏟아질 것 같았다. 우산 없이 집에 가야 할 길이 막막하기도 했다.

짐을 챙겨 카페를 나섰다. 이 동네는 산은커녕 높은 건물조차 없어 지평선이 한눈에 들어왔다. 잠수정만이 내려올 수 있는 심해에 맨몸으로 들어와 있는 것만 같은 심정이었다. 역시 여긴 걸어 다닐만한 길이 아니었던가. 거대한 사거리에 이르렀을 때였다. 문득 서늘한 기운이 느껴져 오른쪽을 보니 검은 구름이 하늘을 뒤덮으며 다가오고 있었다. 구름이라고 말할 수 있는 크기가 아니었다. 어둠 그 자체가 몰려오는 듯 했다. 다른 차원으로 통하는 입구가 다가오는 것 같기도 했다. 게다가 엄청나게 빠른 속도였다. 신호에 걸려 정차한 운전자들이 차창 너머로 일제히 나를 바라보고 있었다. 무언가 걱정하면서도 신기해하는 눈초리였다.

멍하니 검은 하늘을 바라보며 난생처음 보는 광경에 사진이나 동영상이라도 찍어놔야 하는 거 아닌가 하는 멍청한 생각을 하고 있을 때였다. 그 순간, 나는 검은 하늘의 영역으로 자연스레 입장했고, 어떤 스위치를 켠 것처럼 엄청나게 강한 바람이 나를 내리치기 시작했다. 엎친 데 덮친 격으로 비까지 후드득 쏴아아아 떨어지기 시작했다. 그렇다. 이미 태풍의 영역으로부터 달려 나온 차량의 운전자들은 앞으로 내가 겪게 될 재난에 대해 염려하면서도 우스웠던 것이다. '너는 도대체 여기에 왜 있는 거야. 왜 이 길을 혼자 걸어 다니고 있는 거야.' 나를 지나쳐간 사람들의 얼굴이 이렇게 묻고 있는 것만 같았다. 나도 왜 내가 이 황량한 미국 내륙 외딴 도시에 와 있는 건지 의아해질 지경이었다.

범상치 않은 바람이었다. 이렇게 순식간에 하늘의 표정이 달라질 수 있다니 놀라웠다. 나는 서둘러 횡단보도를 건넜고 비를 피할 곳을 찾았다. 도로와 인접한 아파트 일 층 베란다 바로 옆에 작은 공간이 있어 겨우 비를 피했다. 태풍은 노출된 모든 것을 인정사정 볼 것 없이 바람과 비로 때려댔고 도로는 금세 물바다가 됐다. 차들은 양옆으로 물을 튀기며 달렸다. 도저히 맨몸으로 뚫고 갈 수 있는 상황이 아니었다. 말이 씨가 된다더니 정말 잠수정이라도 있어야 이 길을 헤쳐나갈 수 있을 것 같았다. 핸드폰으로 날씨 예보를 찾아봤지만 금방 사그라들 것 같지도 않았다. 천둥 번개가 칠 때마다 머리가 뒤흔들렸다.

하지만 검은 하늘로 입장하는 경계선이 있다면 분명 끝나는 경계선도 있을 것이다. 나는 잠시 기다리기로 했다. 그때 떠오른 건 당연히 K였다. 내가 이곳에서 유일하게 의지하고 도움을 요청할 수 있는 사람. 하지만 선뜻 그에게 연락할 용기가 나질 않았다. 아마 자존심의 문제였을 거다. 혼자 갈 수 있다고 큰소리 땡땡 치고 나와 놓고선 막상 도와달라고 하려니 내키지 않았다. 이렇게 비에 젖은 생쥐 꼴로 서 있는 초라한 모습을 그에게 보이고 싶지 않았다. 무엇보다 혼자서 이 상황을 이겨내고 싶다는 생각이 더 강했다.

절대 멈추지 않을 것 같던 태풍의 진격은 시간이 지남에 따라 점차 약해지기 시작했다. 여전히 걸어가기엔 무리였지만 비가 완전히 멈추기를 기다리다가는 해가 져 버릴 것 같았다. 용기를 내서 빗줄기로 걸어 나갔다. 손등으로 비를 막아보려 했지만, 시야만 겨우 확보할 수 있었다. 빗줄기가 거세어지면 건물 밑에서 잠시 비를 피하고, 잦아들면 다시금 비를 뚫고 나아갔다. '나 진짜 고집이 세구나. 고집이 너무 세.'라고 속으로 읊조리면서. 막상 저 멀리 집이 보이기 시작하자 독하게 먹었던 마음이 허물어지면서 K가 보고 싶어 견딜 수 없었다.

집은 엉망이었다. 베란다 창문을 열어두고 간 탓에 거실 바닥까지 물이 들이차 있었다. 수건을 가져와 고여 있는 물기를 닦아낸 뒤, 축축하고 무거운 옷을 벗어버리고 욕실로 향했다. 따뜻한 물에 몸을 녹이자 몸도 마음도 부들부들해졌다. 살짝 열이 오르는 게 느껴졌다. 허기가 져서 K가 만들어 놓은 카레를 데워

먹었다. 식사를 마쳤을 때 그에게서 전화가 왔다. 아마 내가 카페에서 꼼짝 못 하고 있을 거라고 생각해 급히 전화한 모양이었다. 이미 집에 와 있다고 하자 그는 놀라며 어떻게 왔냐고 했다. 나는 대수롭지 않은 듯 비를 맞고 왔다고 말했다. K는 "연락하지 그랬어……"하며 말끝을 흐렸다. 그는 집에 도착하자마자 나에게 토네이도 경보가 있었다는 사실을 알려줬다. 생각보다 훨씬 위험한 상황이었던 거다. 나는 어쩌겠냐는 듯 멋쩍은 웃음을 지어 보이고 말았다.

어처구니없는 해프닝에 굳어있던 우리의 표정은 금세 풀렸다. 나에게 요리를 해주겠다며 K는 마트에서 재료를 잔뜩 사 온 터였는데, 서툰 솜씨로 새우까지 넣어 그럴싸한 토마토 파스타를 만들어 냈다. 내가 이미 저녁을 먹어버려서 한 접시를 둘이 나눠 먹었다. 우린 테이블에 앉아 솔직한 이야기를 털어놨다. 아주 작아서 말하기 멋쩍지만, 정확히 전달해야만 오해가 사라지는 부분들에 대해. 보여주고 싶지 않은 나의 모습이나 생각들까지 드러내 보이면서. 나는 우리의 지나치게 안정적인 연애에 관해 이야기했고, 그는 나의 걱정을 잠재워줬다.

나는 K와의 가만한 연애를 받아들이기로 했다. 그의 앞에서 나는 자주 외로움을 느낄 것이다. 소용돌이치는 나의 감정을 오롯이 혼자 감당해 내야 할 것이다. 홀로 태풍을 뚫고 걸어가는 와중에 자주 흔들리며 어딘가에 부딪힐 수도 있을 것이다. 하지만 그 태풍을 뚫고 안락한 집에 무사히 도착해, 그가 만들어준 음식을 먹을 수 있다면. 그럴 수 있다면 이런 태풍 정도는 거뜬히 건너올 수 있을 것 같았다. 그의 따듯한 표정 앞에서는 나도 편안해질 수 있을 테니까.

시간이 조금 더 지나서 알게 된 사실이지만, 침대 매트리스 밑 프레임이 한쪽이 빠진 채 기울어져 있었다. 이사를 하면서 작은 나사 몇 개를 빼먹은 바람에 매트리스를 받치는 프레임이 휘어지면서 빠진 듯 했다. 매트리스를 들춰보지 않았다면 몰랐을 일이다. 우리는 어딘가에 보관해놓은 남은 나사를 찾아내고, 그것을 제자리에 박아 휘어진 프레임을 다시 고정했다. 이게 나의 잠을 방해한 요인인지 모르겠지만, 다행히도 이전보다는 깊게 잠들 수 있었다. 이제야 모든 것이 제자리를 찾은 느낌이었다.

4월의 단상
- 양화대교를 지나는 673번 버스에서

*

사람들이 꽃 사진을 찍어 저장하곤 그것을 다시 사람들과 나누는 계절이 왔다. 인스타그램 피드는 온통 꽃밭이다. 출근길 버스에서 창밖으로 스치는 벚꽃과 목련을 바라보며 봄이 왔다는 걸 실감했다. 꽃이 기어코 피었구나. 몸을 아프게 하는 바이러스와 마음을 다치게 하는 소식들이 난무하는 시절이다. 아랑곳하지 않고 꽃은 만개를 위해 열심이었다. 나는 선고를 내리듯이 "꽃이 피었다." 마음속으로 말했다.

봄이 왔다는 사실은 위안이 됐다. 멈춰 있는 것만 같은 시간이 길었기 때문에. 시간이 흐른다는 것을 몸으로 느낄 수 있기 때문에. 이상하게 춥지 않은 겨울이라서, 가을쯤부터 줄곧 같은 계절에 갇혀 있는 것 같기도 했다.

그 시간 동안 많은 변화가 있었음에도 다시 원점으로 되돌아온 나는, 어느 계절이든 다시 돌아온다는 걸 알면서도 무력해졌다. 반복되는 나의 삶이 싱그러운 봄과 상반되어 더욱더 볼품없게 느껴졌기 때문이다.

봄은 나에게 온전한 기쁨을 주진 못한다. 봄이 오고 꽃이 피는 것을 있는 그대로 순수하게 바라보지 못한다는 것은 내가 서서히 썩어가는 것의 반증이 아닐까 생각했다. 내가 살아있는 게 아닌 것처럼 느껴졌다. 어쩐지 나는 이런 기분을 느껴본 적이 있는 것만 같다. 그때의 봄을 나는 '남들의 봄날'이라고 불렀었다. 나는 또다시 봄을 빼앗겼다.

마음속으로 연약한 다짐을 거듭한다. 나의 내면을 곤궁하게 만드는 상황에 나를 몰아넣지 않겠다고. 나를 메마르게 하는 짓은 하지 않겠다고. 그리고 변명해본다. 다짐이 연약한 것이 아니고, 현실이 너무 단단한 거라고. 여름이 오고 다시 가을이 오면, 혹시 그때의 내가 너무 물러져 있다면, 오늘의 글을 소리 내서 읽을 것이다. '꽃이 피었다'고 허망하게 속삭였던 것을 기억해 낼 것이다.

*

날이 좋았다. 하늘이 너무 밝고 눈부셔서 한강의 색이 탁하게 보일 정도였다. 책을 읽다가도 햇살에 이끌려 한 번씩 창밖을 바라보곤 한다. 그러다가 문득, 건물마다 지나치게 많은 글자가 덕지덕지 붙어있다는 걸 깨달았다. 똑같은 풍경 속에서 예전에는 미처 몰랐던 것을 발견한 기분.

한 번 인지하고 나니 세상이 새삼 낯설게 느껴진다. 네모난 간판 안에 가게 이름과 전화번호, 가게를 설명하는 수식어, 창에 붙은 전단지, 안내문, 분양 임대, 결제 방법, 유리마다 스티커로 된 글자를 한 글자씩 큼직하게 붙여두고, 색깔마저도 형형색색, 하고 싶은 말이 구구절절… 나는 글자들로 도배된 건물을 보면서 참았던 숨이 터지는 (파하-와 비슷한) 소리를 절로 내뱉는다. 할 말이 너무 많은 나머지 그걸 다 말하지 못하면 어떡하나 초조해하며 빠르게 말하는 바람에 말이 자꾸만 엉키는 사람의 모습이 연상됐다. 내가 다 숨이 차고 답답했다.

전하고 싶은 말이 너무나도 많은 건물이 줄줄이 늘어선 풍경 속을 버스는 무심히 달렸다. 눈길이 닿는 대로 글자를 읽어보았다. 다 읽지 못하고 스쳐 간 글자가 더 많았다. 버스가 잠시 정차했을 때, 이사 나간 지 꽤 오래돼 보이는 중고책방 내부가 들여다보였다. 속이 텅 비어있다. 창문에 색이 바랜 채 너덜너덜하게 붙어있는 '중', '고', '책', '방' 글자들이 그곳이 책방이었음을 말해주고 있었다.

마음에 바람이 통하는 것만 같다. 이미 마음은 떠나고 없는데 미처 내뱉지 못한 말들만 남아서 그 자리를 맴돌고 있는 것 같았다. 어떤 미련 같은 모양으로. 가슴속에 남은 말들은 누가 수거해가는 걸까. 나는 괜히 찔려서 가슴 속에 걸려있는 말들을 만지작거렸다.

얼마나 오랫동안 그 자리에 남아있었을지 모를 글자를 뒤로하며 나도 내가 걸어놓은 글자들을 떠올려봤다. 당신이 봐주기를 바라며 형형색색의 글자를 잘 보이는 곳에 걸어두기도 했는데. 어쩌면 당신은 너무 많은 간판을 읽으며 사느라 쉽게 놓치게 된 걸지도 모르겠다. '살다 보면,'이라는 말 뒤에 어떤 변명이 붙어도 어색하진 않지만, 그렇게 모든 것을 포용할 수는 없는 거라고 말하고 싶다. 내가 어떤 글자를 문 앞에 걸어두든 그다지 궁금해하지 않는 사람에게 애정이라는 것을 기대할 수 있는 건지 모르겠다. 그것도 '지나치다 보면,' 이란 말로 가릴 수 있나.

힘써 전하려 해도 전해지지 않는다면 그건 어쩔 수 없는 일이라는 생각이 들었다. 읽히지 않을 글자로 도배된 건물들이 애처롭다.

*

버스가 한 번씩 정차할 때 창밖의 장면을 조금 더 오래 볼 수 있다. 수많은 장면을 스쳐 가지만, 이날 따라 유난히 시선을 사로잡은 장면이 하나 있었다. 나무가 뿌리까지 통째로 뽑혀 나간 것처럼 땅이 깊게 파여 있는 건물 철거 현장이었다. 건물의 잔해와 철근들이 잔뿌리처럼 땅에 박혀 있었다. 파헤쳐져 있는 땅의 깊이가 너무 깊어서 버스에서는 다 들여다보이지도 않았다. 안전모를 쓴 사람들이 현장에 남은 잔해들을 정리하고 있었고, 그 위로는 벚꽃이 흩날리고 있었다. 견고했던 건물은 어떤 이유로 무너지고 사라지게 됐을까. 너무 오래된 건물이라 그런 걸까. 이 자리에는 새로운 건물이 들어설까. 봄이 오고 꽃이 피고 지는 것처럼 오래된 건물은 뿌리 뽑혀 분해되고, 새로운 건물이 무럭무럭 자라나겠지. 그런 일이 무수히 일어나고 있다는 게 왠지 모르게 두렵다. 사라지고 잊히고 또 새로운 것들이 자리를 채우는 것이 아무렇지 않게, 전혀 쉽지 않은 일이 꾸준히 일어나고 있다.

*

버스 맨 앞자리에 앉았다. 아니, 맨 앞자리는 운전석이니까 운전석 대각선에 있는 가장 앞 좌석이라고 해야겠다. 버스 앞으로 펼쳐진 도로가 한눈에 훤히 들어왔다. 높은 시야가 시원하다. 오랜만에 이 높이네, 라고 생각했다. 익숙한 시야가 나를 과거로 데려간다. 어릴 적 아빠의 5톤 트럭을 타고 이곳저곳을 다녔던 기억이 떠오른다. 아빠의 트럭은 너무 높아서 타는 것부터 쉽지 않았지만 몇 번 타다 보니 폴짝폴짝 잘 올라타게 됐다. 조그맣던 나에겐 그 높이가 어마어마해서 놀이기구를 타는 것처럼 느껴졌었다.

종종 아빠의 여정을 함께 할 기회가 있었다. 아빠는 트럭에 무엇이든 싣고 날랐다. 나는 목적지가 어딘지도 모를 곳으로 실려 가 짐을 싣고 내리는 아빠를 구경하고, 할 거 없이 조용한 차 안에 앉아 아빠가 돌아오기를 기다리며 시간을 보냈다. 그래서인지 우리가 어디에 함께 갔는지 기억에 남는 곳이 없다. 막상 트랜스포머 같은 트럭을 타고 내가 가고 싶은 곳을 간 적은 없었다. 생각해보니 아쉽다. 아빠의 트럭을 타고 여행을 떠났다면 정말 멋졌을 텐데. 커다란 트럭은 어딜 가도 시선을 끌었을 텐데.

집으로 돌아가는 길에 아빠는 알록달록한 놀이동산 표지판을 보며 "아빠랑 나중에 놀이동산 같이 가자." 라고 종종 말했지만, 시간이 지나서도 그 약속은 지켜지지 않았다. 너무 바빠서였을 수도 있고, 놀이동산이 너무 가까이 있다 보니 쉽게 미루게 된 걸지도 모른다. 아빠는 어딜 가는 것 자체를 피곤해하는 사람이기도 했으니까. 일 때문에 차로 닿을 수 있는 곳은 어디든 달려가면서도, 실은 그런 걸 싫어하니까.

아빠가 스파이더맨처럼 트럭 위를 날아다니던 시절, 더 많은 곳을 누비고 다녔으면 좋았을걸. 나의 아쉬움과는 상관없이 시원하게 달리는 버스 앞자리에서, 나는 온전히 길을 내맡긴 사람이 되어 오랜만에 편안함을 느꼈다.

"Fucking, Fuck!!"

귀를 의심했다. 분명히 바로 뒤에서 들려온 고함이었
다. 버스에는 사람이 많았다. 하지만 나는 그의 욕설
이 정확히 나를 향했다는 걸 단번에 알 수 있었다. 고
함을 친 남자가 나를 지나치며 굳이 뒤를 돌아 내 얼
굴을 똑바로 쏘아보았기 때문이다.

욕설을 내뱉은 사람은 키가 큰 외국인 남성이었다. 나
이가 그렇게 많아 보이진 않았다. 마스크로 가린 얼굴
위로 눈가가 붉으락푸르락했다. 사람들이 빈자리에
차례로 앉는 중이었고 그 와중에 의도치 않게 내가 그
의 앞을 막은 모양이었다. 내가 자신의 말을 못 알아
들을 거라고 생각했는지 아니면 알아들으라고 그렇
게 큰 소리로 욕지거리를 내뱉은 건지 모르지만 상식
적으로 이해가 가지 않았다.

당황한 채 자리에 앉아 생각해보니 조금씩 화가 나기
시작했다. 아니, 길을 좀 막은 것이 그렇게 화낼 일인

가. 내가 막고 싶어서 막은 것도 아닌데. 이렇게 사람이 많은 버스에서 그렇게 크게 소리를 질러도 되는 건가. 그것도 욕을? 이런 생각들이 마구잡이로 떠올라 머리가 뜨거웠다.

한편으로는 아무 말도 못 한 자신이 답답하게 느껴졌다. 순식간에 벌어진 일이라 달리 대처할 방법이 없긴 했지만, 욕을 듣고도 말대꾸 한 번 못하고 얌전히 앉아있는 내가 무력한 존재가 된 것 같았다. 책이나 읽자 싶어서 책을 꺼내 들었지만, 도무지 글자가 눈에 들어오질 않았다. 하지만 그에게 어떻게 욕을 할 수 있냐고 따져 물을 자신도 없었다. 그렇게 행동했을 때 그가 어떻게 반응할지 공포가 앞섰기 때문이다. 뒤에 있는 그를 흘끗 쳐다보는 데에도 용기가 필요했다.

만약 반대로 내가 내 앞을 막은 외국인에게 한국말로라도 욕을 내뱉을 수 있을까, 생각해봤다. 그렇게 충동적인 행동을 하는 건 상상도 못 할 일일뿐더러 정작 내가 욕을 내뱉고 싶을 만큼 억울한 상황을 겪더라도 그렇게 하진 않았을 거다. 그가 그런 행동을 한 건, 어쩌면 상대가 자신을 제지하지 못할 거라고 믿는 자만심, 공포를 모르는 무지함에서 온 행동일 수 있겠단 생각이 들었다. 오늘 직장에서 한국인 상사에게 호되게 데이고 괜히 엄한 곳에 화풀이를 한 건 아닐까. 나는 그가 돌아가는 길에 자신의 충동적인 행동에 조금이라도 부끄러움을 느끼고 후회하길 바랐다.

*

오후 출근이었다. 2시가 넘어가는 시간. 673번 버스
는 오늘도 어김없이 같은 경로를 달리고 있었다. 그때
쿵- 소리가 나며 왼쪽 등허리에 진동이 전해졌다. 큰
사고는 아니었지만, 일순간 버스 안이 어수선해졌다.
기사님은 갓길에 정차하고는 "죄송합니다!"를 연신
외치며 상대 운전자와 이야기를 나누기 위해 버스에
서 내렸다. 금방 정리될 줄 알았던 상황이 조금씩 길
어졌고, 참다못해 내려버리는 승객도 있었다. 나도 출
근 시간에 늦을까 봐 괜히 지도 앱을 켜두고 다음 버
스는 몇 분 뒤에 오는지 체크하고 있었다.

다행히도 다음 버스가 도착하기 2분 전에 상황은 종
료됐다. 기사님은 다시 "죄송합니다!"를 외치며 운전
석에 앉았다. 선배에게 몇 분 정도 늦을 수도 있을 거
란 메시지를 남겼다. 다친 건 아닌지 괜찮은지 묻는
메시지가 다른 팀원들로부터 연달아 도착했다. 늦어
도 괜찮으니 천천히 오라는 내용이었다. 버스에서 내
려 걸으며 이런 일도 다 겪네, 생각했다.

그리고 그날 저녁, 퇴근을 앞두고 출근길의 접촉사고만큼이나 뜬금없는 상황이 펼쳐졌다. 메인 작가님의 말에 따르면 우리 팀이 한 달을 쉬어야 한다고 했다. 나는 새로운 TV 프로그램을 기획 중이었는데, 원래 계획대로라면 6월 중순에 첫 방송을 앞두고 있었다. 프로그램을 아예 접는 건 아니지만, 코로나 바이러스의 기승과 여러 가지 제작 상황의 문제로 5월은 쉬었다가 6월부터 다시 기획을 이어가야 한다는 거였다. 하지만 6월 초부터 바로 다시 투입일지, 더 늦춰질지 미지수였다.

불명확한 상황에서 메인 작가님은 우리에게 선택권을 넘겼다. 물론 끝까지 함께 가면 좋겠지만 생계가 달린 만큼 계속 붙잡아둘 수 없다는 걸 안다고 했다. 선배들도 우선 다른 자리를 알아보다가 정 안 된다면 다시 돌아오자는 식이었고 나도 그렇게 하겠다고 했다. 방송작가는 프리랜서이기에 달리 어쩔 도리가 없었다.

하지만 아쉬움을 지울 순 없었다. 팀원들과 성격도 잘 맞았고 업무 스타일이 비슷해서 그런지 일은 힘들어도 함께라면 잘 해나갈 수 있지 않을까 생각하고 있었는데. 우리는 다시 만날 수도 있겠지만, 영영 작별하는 심정으로 인사를 나누고 헤어졌다.

오늘 낮에 사고가 난 버스에서 내리진 않았지만, 다음에 올 버스의 도착 예정 시간을 살펴보며 각을 재던 내 모습이 떠올랐다. 어쩔 수 없으니까, 바쁘게 살다 보면 합리적인 선택을 해야 하니까. 빠른 상황 판단과 결정이 이 세상을 살아가는 데에 얼마나 중요한지 잘 알잖아. 변명의 모습을 한 생각들을 늘어놓다가 문득 이번 방송을 준비하면서 섭외했던 사람들의 얼굴들이 떠올랐다.

그래도 사람이 하는 일인데.

버스에서 내리는 발걸음이 무거웠다. 나의 의지와는 관계없이 당분간은 버스를 탈 일이 없어졌다. 버스에서의 단상을 적는 이 글도 잠시 멈춤이다.

낙천적인 백수 생활

집 안에서만 생활하는 기간이 길어지고 있다. 생활 패턴이 무너지기도 하고, 뚜렷이 하는 것 없이 하루가 흘러가기도 한다. 예전 같았으면 많이 우울했을 텐데. 이 와중에 마냥 처지지 않을 수 있는 건, 역설적이게도 낙천적인 마음 덕분이다.

우울감이 나를 괴롭힐 때 가장 갖기 어려운 마음이 낙
천적인 마음이다. 그래서 나름 내 생활 반경 안에 작
은 규칙들을 만들었다. 하루에 한 번 명상하기, 영양
제 챙겨 먹기, 일기 쓰기, 책 읽기, 겨울이와 놀기, 한
끼는 건강히 먹기. 이런 항목들을 포스트잇에 줄지어
적은 뒤 책상 앞에 붙여두었다. 일주일 동안 매일 매
일 내가 이 작은 규칙들을 실행 했는지 동그라미나 세
모, 엑스 표시로 체크한다.

쉽고 작은 목표들이지만, 이 중에서도 못 하고 지나
가는 것들이 생긴다. 그래도 아무 것도 안 한 것보단
조금이라도 해냈다는 게 위안이 된다. 성취감이 깨알
처럼 모이고 나면 내일이 오는 것이 두렵지 않다. 허
무하게 지나간 시간일지라도 능동적으로 살아냈다는
기분이 든다. 이런 습관이 나를 낙천적이게 만드는 것
이다.

그리고 좀 더 중요한 목표는 작은 칠판에 적어 책상
위에 세워뒀다. 해촉증명서 발급이나 청약 통장 만들
기 등의 꼭 해야 하지만 미뤄뒀던 일. 또는 옷방 정리,
그동안 썼던 글을 모아 정리하기 등의 시간을 들여서

해야 하는 일들이 주를 이룬다. 그건 단기간에 하지 않아도 괜찮다. 내가 해야 할 일을 알고 있는 것만으로도 복잡한 머리가 정리되는 기분이다.

프리랜서로 살면서 일이 없는 기간을 몇 번 지나고 보니, 쉴 때도 어떻게 쉬어야 하는지, 주체적으로 시간을 보내는 건 어떤 건지 알게 됐다. 능숙하게 시간을 잘 보낸다는 의미는 아니다. 그저 나의 방식을 찾아가는 시간을 가질 수 있었던 것뿐이다. 아침잠이 많아 일찍 일어나고자 하는 계획은 번번이 실패하지만, 그 외의 것들은 잘 지켜나가고 있다. 저녁부터 밤까지는 몰두해서 책을 읽고 글을 쓴다. 백수도 삶의 루틴이 있다. 얼마나 바쁜지!

주변 사람들은 집에만 있는 내가 혹여 우울해질까 걱정하며 연락을 해 온다. 무엇을 하고 있는지 시시때때로 물어오는데, 그럴 때마다 대답하기 난처해진다. 글을 쓰고 있다고 말하는 것도 민망하고, 시시각각 바뀌는 나의 포지션을 설명하기도 애매하기 때문이다. 놀지 않고 무언가를 열심히 하고 있었다는 사실을 증명해야 할 것만 같은 강박을 느끼기도 하지만, 결국 '나름 잘 쉬고 있다'고 두루뭉술하게 설명하곤 한다. 그럼 그냥 막 쉬기만 하는 사람 같아서 억울해지기도 하지만, 나의 생활을 일일이 설명하고 인정받을 필요가 없다는 사실을 인지하고는 다시 마음을 가라앉힌다.

그렇다. 하루를 내 멋대로 보낼 수 있다는 게 얼마나 축복인지! 일할 때 얼마나 간절히 원했던 시간인지! 그 희열을 생각하면 다시금 낙천적인 마음이 솟아오른다.

그렇다고 우울이나 불안을 전혀 느끼지 않는 건 아니다. 사흘 중 하루는 마냥 누워만 있고 싶고, 잠만 자고 싶은 날이 찾아온다. 시간을 죽이고 싶은 날. 아무것도 해내지 못할 거라는 부정적인 마음이 드리운 날엔 유난히 방이 어둡다.

그럴 땐 무리하지 않고 나의 감정을 그대로 놓아둔다. 늦은 저녁쯤에 묵직해진 몸을 일으켜 책상으로 가 내가 그 전날에 세워놓은 방어막을 더듬는다. 일기 쓰기, 책 읽기와 같은 작은 규칙들. 프린트해 둔 나의 글들, 아끼는 책들. 그렇게 나는 다음 날을 살아낼 힘을 비축한다.

사람의 가슴 밑에는 깊은 우울의 강이 항시 흐르고 있어서, 멀쩡히 잘 걷다가도 발을 헛디뎌 우울에 빠지는지도 모른다. 그래서 나는 작은 벽돌로 둑을 세운다. 우울의 강이 쉽게 범람하지 않도록. 내가 잘 가꿔둔 강변을 쉽게 침범하지 않도록. 언제 넘칠지 모르는 우울의 강에도 굴복하지 않을 나름의 방어책이 생기는 거다.

그러니 나는 오늘도 성실한 개미가 되어 열심히 벽돌을 나르는 수밖에.

걱정마, 집은 안 무너져

천장에서 이상한 소리가 나기 시작했다. 톡 토독 툭 … 하는. 물이 떨어지는 소리 같기도 하고, 천장 위에서 무언가가 나무를 갉아대는 소리 같기도 했다. 신경에 거슬리긴 했지만 오래된 집이라 이런저런 소리가 나는 건가, 하고 말았다. 얼마 지나지 않아서 알고 싶지 않았던 소리의 정체를 알게 됐다.

그 소리는, 물이 맞았다. 천장 위에서 톡 톡 물이 떨어지는 소리였다. 처음엔 조금씩 들리다가 어느 순간에는 여기저기에서 투둑, 투둑 하고 났다. 물은 천장 벽지를 서서히 적시더니 이내 창가 쪽에서 한 방울, 한 방울 떨어지기 시작했다. 물이 떨어지는 곳이 침대 바로 위였기에 동생과 함께 침대를 밀어 창문에서 떼어냈다. 그리고 물이 떨어지는 바닥에다 오래된 수건을 깔았다. 짙은 갈색의 녹물이 수건에 배어들었다.

상황을 본 위층 주인집 아주머니와 아저씨는 바로 다음 날 본인들의 안방 바닥을 뜯어내고 구멍이 난 배관을 찾아냈다. 오래된 배관이 삭아서 작은 구멍이 생기기 시작했고, 그 틈새로 작은 물줄기가 뿜어져 나오고 있었다고 했다.

"집이 나이를 먹으니까 여기저기가 다 고장이 나네. 구멍이 나고." 아주머니는 씁쓸한 목소리로 말했다. 세입자인 나를 납득시키려는 것처럼 들리기도 했고, 자신을 납득시키는 말 같기도 했다. 불과 삼 개월 전, 거실 천장에도 비슷한 일이 있었다. 그때도 주인집은 바닥을 파내고 배관을 고쳤다. 그때 샌 첫물이 거실 천장에 갈색 얼룩을 크고 흉하게 남겼다. 아주머니는 "이거 거실 벽지 언제 새로 해주나 생각하고 있었는데, 다른 데가 터져버리네 그래." 하셨다. 그래도 바로 배관 공사를 했고, 침실 천장에도 거실처럼 얼룩덜룩한 자국이 남긴 했지만 어느 정도 물기가 말라가고 있던 차였다.

그런데 이게 끝이 아니었다. 공사를 마무리 짓고 이틀이 지났나? 또다시 똑 똑 하는 물소리가 들려왔다. 뭐지? 창문가에 물방울이 떨어지고 있었다. 이번엔 더 빠른 속도로. 그새 또 다른 곳이 터졌나? 공사까지 다 마쳤는데 이게 무슨 일이야. 곧바로 내려온 주인집 아주머니는 조금은 망연자실한 채 "에효… 이제 진짜 집을 새로 지어야 하나." 하며 혀를 찼다.

아주머니는 댁에서 가져오신 플라스틱 통을 창문 틈 사이에 끼워두었다. 똑 똑 떨어지는 물이 그 통 안에 고이기 시작했다. 아주머니는 한참을 물이 새는 천장을 바라보다가 걱정하는 나에게 한 마디 건네셨다.

"걱정 마, 집은 안 무너져."

그리고는 헛헛하게 웃었다. 웃으라고 한 말씀 같았는데 그 말이 나를 위로하는 것 같기도, 본인을 위로하는 말 같기도 했다. 집이 오래돼서 그렇다는 어찌할 도리 없는 말에 나는 역시나 저번에도 그랬던 것처럼 아주머니에게 "그러게요. 어쩜 좋을까요." 하고는 어색하게 웃어버리고 말았다.

이 집은 내가 사는 집이지만 내 집이 아니었고, 이 모든 일을 겪는 건 나였지만, 해결할 수 있는 건 내가 아니었다. 모든 선택권이 주인집에 있었다. 녹슨 물이 떨어지는 천장 밑에서 자야 하는 내가, 아주머니에게 걱정의 말을 전하고 있었다. 그렇지. 나는 이 집과는 상관없는, 아니 언제든 상관이 없어질 제3자. 잠시 머물다가는 사람. 나는 이곳에서 떠나려면 얼마든지 떠날 수 있지만 (물론 그 과정이 쉽지 않을 거다) 아주머니는 아니니까. 오래된 배관과 낡은 곳을 수리하고 유지하고, 이곳에서 살아야 하는 건 주인집 가족이니까. 하지만 기분이 묘했다. 벌써 몇 년을 살아 온 집인데 그날따라 잠시 머무는 여관방처럼 느껴졌다.

머리 위에서 물이 흐르고 떨어지는 소리를 들으며 잠을 청한다. 사람이나 집이나 똑같다. 오래되면 이곳저곳이 망가지지. 이 집이 겪어냈을 고된 세월이 녹슨 물이 되어 천장을 적시는 것만 같았다. 천장 안에서 규칙적으로 떨어지는 물소리. 플라스틱 통을 채우는 소리. 불안한 소리. 아픈 소리. 낡고 닳은 소리. 갉아먹는 것 같은 소리. 망가진 것들의 최후가 범람하는 소리. 그것들이 고여서 또 녹스는 소리. 무너지는 소리. 그런 오랜 것들의 시간이 내 머리맡에 쏟아지는 것만 같았다.

도저히 잠이 오질 않아 일어나 앉았다. 물 떨어지는 소리가 음울해서. 꼭 동굴에 누워있는 것 같아서. 습하고 퀴퀴한 냄새가 방 안에 내려앉는 것만 같아서. 물이 창가뿐만 아니라 이곳저곳에서 떨어지는 것만 같은 불안감이 솟구쳐서.

고양이는 시종일관 물이 떨어지는 천장을 구경한다. 신기한 걸 보는 것처럼, 무언가에 홀린 것처럼. 나는 그 모습이 웃겨서 헛웃음 짓고 만다. 웃음이 나니까 웃긴 생각을 한다. 어려서도 비가 새는 집에 살았던 적이 있는데, 서른을 넘긴 나는 여전히 물이 새는 집에 사는구나. 이게 다 가난 때문일까. 그냥 내가 사는 세상이 그런 걸까.

래퍼 도끼는 힘든 시절 컨테이너에서 살면서도 어차피 자신이 잘 될 거라는 강한 확신이 있었다고 인터뷰했다. 그리고 정말로 잘 돼 버려서 그 시절을 쿨하게 회상하며 말하고 다닌다. 나중에 나도 지은 지 얼마 안 된, 깨끗하고 넓은 집에서 살게 되면 이날을 쿨하게 회상해야지. 라는 우스갯소리를 했다. 그랬더니 동생의 말. "언니, 그건 도끼고."

또다시 주인집은 바닥을 뒤집고 녹슬어 구멍이 난 배관을 찾아내고 수리를 할 것이다. 그리고 멀지 않은 언젠가 또 다른 곳에서 물이 샐지도 모른다. 짙은 갈색의 얼룩이 남은 천장을 보면서 괜히 마음에도 물이 새는 것만 같아서 젖은 구석을 더듬어본다. 이미 울어버린 벽지는 다시 되돌릴 수가 없다.

하루와 하루

DAY 1,

비가 올 것처럼 내려앉은 날씨였지만, 비는 오지 않았다. 꾹 눌러 담은 듯 밀도 높은 공기 사이를 꿋꿋이 걸었다. 혜화역 4번 출구 앞에 도착해 '4번 출구 앞에 도착했어요.' 하는 메시지를 남겨놓고는 마스크 안쪽으로 코 밑에 맺힌 땀을 닦아냈다. 역 앞에는 '혜화 붕어빵' 현수막을 내 건 노점이 하나 있었다. 사 먹는 사람은 없었고 붕어빵은 속절없이 점점 쌓여간다. 빠르게 스치는 행인들의 발길을 눈으로 좇으며 나는 약간 지쳐버리고 말았다. 얼마 지나지 않아 초록색 잎사귀가 그려진 면 마스크를 쓴 M님이 짠하고 앞에 나타났다.

오늘은 M님이 직접 빚은 막걸리를 선보이기로 한 특별한 날이다. 이날을 위해 콜키지가 가능한 식당을 찾아둔 터였다. 우리는 골목 안쪽으로 발걸음을 옮겼다. 우중충한 날씨 탓인가 막걸리를 마시는 손님들로 가게는 만석이었다. 실망하고 발걸음을 돌리려는 찰나, 아주머니 한 분이 불쑥 가게 문밖으로 고개를 내미셨다. "지금 손님이 꽉 차서 그런데요, 안쪽에 테라스 자리가 있거든요. 좀 덥긴 해도 양옆으로 선풍기를 틀어놔서 그렇게 덥지두 않아요. 안내해드릴까요?"

후덥지근하고 습기 찬 날씨라 약간 망설여졌다.
"중간에 다른 자리 나면 옮겨주실 수 있나요?"
"그럼요. 자리 나면 알려드릴게."
수더분한 아주머니 꽁무니를 쫓아 가게로 들어섰다. 그런데 테라스가 있을 리 없는 가게 안쪽으로 향하는 아주머니. 주방 옆을 지나 점원분들의 개인적인 공간을 침범한 듯 어색한 상황이 연출되고, 이제 더는 들어갈 공간이 없다는 생각에 '잉?'하는 추임새와 함께 뒤따르자, 아주머니가 식자재를 보관하는 창고 문 정도로 여겼던 검은색 문을 벌컥 열어젖혔다. '잉?'은 '오!' 하는 감탄사로 바뀌었다. 예상치 못한 공간이 펼

처졌기 때문이다.

인조 잔디가 깔린 뒷마당에 플라스틱 테이블이 3개 정도 있었고, 하얗게 칠해진 담벼락에는 주먹만 한 전구가 줄줄이 매달려 노랗게 빛나고 있었다. 아주머니 말대로 선풍기가 양옆에서 돌아가며 시원한 바람을 만들어내고 있었다. 이 비밀스러운 아지트에는 우리뿐이었다. 시장통 같던 가게 내부의 소음과 완전히 단절된 공간이었다. 주변을 휘휘 둘러보며 자리에 앉는 우리에게 아주머니는 "원래는요, 여기가 인기 석이에요. 요즘은 좀 더워서 그렇지만." 하며 호호 웃으셨다.

M님은 주류박람회에서 직접 공수해온 풍정사계 막걸리 한 병과 직접 빚은 탁주와 약주를 조심스레 꺼내 테이블 위에 줄을 세웠다. 막걸리 빚는 법을 배워 집에서도 직접 술을 빚는다는 M님. 단 맛이 나는 술은 뭔가 이상하게 느껴져 입에도 안 대다가 작년 가을에 쌀로 술 빚는 법을 배우면서 첫술을 뜬 거라고 했다. 전문적으로 술을 빚고 싶으신 거냐 물으니, M님은 "나중에, 아주 나중에 나이가 들면 양조장을 한 번 차려볼까 싶긴 해요. 진로나 직장에 대한 걱정 없는

나이가 되면요. 한 육십?" 하고 웃었다. M님은 기술을 배워도 술을 만들어 팔 생각은 없다면서 그냥 이렇게 좋아하는 사람들이랑 마시는 게 마냥 좋다고 했다.

곧 일을 마치고 온 D님이 비밀 뒷마당에 모습을 드러냈다. 타이밍을 맞춰 주문한 김치찜과 대파전이 상에 차려졌고, 우리는 서로의 근황에 대한 이야기를 나누며 M님 표 막걸리를 개봉했다. 술을 한 모금 들이키자 향긋한 내음이 입안과 콧속을 스치고는 목을 타고 부드럽게 넘어갔다. 화들짝 놀라고 말았다. 아니, 이렇게 맛있다고? 눈을 동그랗게 뜨고 연신 맛있다고 하니 M님은 해맑게 웃으며 손뼉을 쳤다. 순수하게 기뻐하는 얼굴이었다. 술은 안주와도 정말 잘 어울렸다. 우리는 혼이 나간 것처럼 배를 채웠다.

배가 차고 술이 오르자 우리는 자연스럽게 글에 대한 이야기를 꺼내기 시작했다. D님이 8월에는 책을 낼 거라는 소식을 전했고, 작년 12월에 우리가 했던 약속을 떠올렸다. 내년에는 독립출판을 합시다. 한 권씩 꼭 냅시다. 했었는데. 벌써 한해의 반이 지나가 있었다. 언제 하실 거예요~ 하셔야 해요. 해야 해요. 하는 말들이 오고 갔는데, 술 때문인지는 몰라도 조금 붕 뜬 기분이 돼 버렸다. 나는 "할 거긴 한데요오…"하면서 말꼬리를 길게 늘였고 결국 하긴 할 건데 그래서 어떻게 할 건지는 제대로 말하지 못했다. 그저 "겨울 즈음 엔요." 하고 중얼거렸을 뿐.

요즘의 나는 너무나도 불안한 상태였고 그 불안은 날이 갈수록 몸집을 키우고 있었다. 밤에는 잠들어야 하는 걸 알면서도 불안에 떨며 억지로 잠들기를 거부했다. 작은 공백으로도 불안에 압도당할 것만 같아서 SNS 피드를 새로 고침하며 웃긴 게시물들을 보고 실실 웃거나 그다지 보고 싶지 않은 영상들을 내내 틀어 놓기도 했다. 밤낮을 오가며 냉탕과 온탕 사이를 왔다 갔다 하다가 온몸이 퉁퉁 부르튼 것 같았고, 그 부르튼 살가죽을 보면서 서글픈 기분에 잠겼었다.

글을 쓰겠다면서 부지런하게 굴지 못하는 내가, 하려면 제대로 해야지, 사활을 걸어야지, 생각하면서도 행동으로 옮기지 못하는 내가, 써 놓은 글을 모아놓고는 이런 글을 어떻게 책으로 만들겠어, 하고는 덮어버리는 내가 너무 한심해서 견딜 수가 없었다.

M님은 가만히 내 이야기를 듣더니, "저도 게을러서 아는데요. 게으른 사람이 게으르게 글을 써야지, 부지런히 글을 쓰면 그 글은 위선이에요! 가식이에요!"하고 크게 외쳤다. 우리는 그 이야기에 깔깔 웃어댔다. 그러고는 M님은 나에게 단언하듯 말했다.

"그러니까 혜영 님은 어쩔 수 없이 글을 써야 해요. 지금 이런저런 고민하지만, 책 한 번 만들어 보면 지금 하던 고민이 싹 사라질걸요? 완전 달라질 거 같아."

M님은 자신은 글로 뭘 하고 싶다는 욕심은 없다고 했다. 그저 글을 꾸준히 써서 마음속에 남은 응어리들을 해소하고 싶다고 했다. 일종의 테라피라는 말에 우리는 맞장구 쳤다. 어쩌면 그게 M님의 방법일 지도 모른다. 팔지 않을 술을 만드는 것처럼 술을 빚는 마음으로 글을 쓰는 거다. "욕심을 가지면, 이 일을 즐기지 못 할 것 같아서요." M님의 말처럼 누가 시켜서 하는 게 아니라, 순수하게 좋아서 하는 일이니까.

천막 위로 타닥타닥하는 소리가 들려왔다. 어느새 빗줄기가 굵어져 천막 아래로 빗금이 쳐지기 시작했다. 다른 자리가 나면 알려달라고 한 말이 무색하게 우리는 지금의 자리가 마음에 들었다. 빗소리를 들으며 남은 잔을 비웠다. "일단 한 번 앉아보세요. 여기가 인기석이라니까?" 하는 아주머니의 말을 곱씹어 본다. 아주머니를 쫓아 들어오지 않았다면 앉아보지도 못했을 자리. 주저하는 나의 앞에 큰소리로 "일단 해보시라니까요?" 하는 사람들이 있다는 건 얼마나 감사한 일일까. 속이 든든해졌다. M님이 빚어 온 술이 혈관을 타고 빙글빙글 도는 것만 같았다.

DAY 2,

달콤한 술에서 퍼뜩 깨는 기분이었다. 이날은 고양이가 황금 똥을 싸는 꿈을 며칠 동안 기억했다가 난생처음 로또를 사고, 보기 좋게 낙첨한 날이었다. 요즘 나는 글을 쓰는 사람들과 만남이 잦았는데, 공교롭게도 어제에 이어서 오늘도 글을 매개로 모이는 자리가 있었다. 몇 주 동안 단편집에 실을 글을 쓴 후에 다 같이 서로의 글을 돌려 읽기로 하고 망원 한강공원에 모였다. 다른 사람들은 어떤 글을 써왔을까 잔뜩 기대한 채 종이에 인쇄된 글들을 마주했다. 바람이 거세게 불어서 손에 들고 있는 종이가 휘릭 넘어가기도, 날아갈 뻔하기도 했다. 그런 환경에서도 오롯이 앉아 몰입한 상태로 글을 읽어 내려갔고, 나는 등허리에서부터 목덜미에까지 소름이 돋는 걸 느꼈다. 좋은 글들이 너무 너무 많아서였다.

나는 사람들과 함께 글을 쓰는 게 마냥 좋았다. 좋아하는 것을 좋은 사람들과 나눌 수 있어서, 각자의 고유한 글을 읽어볼 수 있어서 좋았다. 그게 글의 매력이니까. 좋은 게 좋은 거지, 라고만 생각하던 내가 미처 놓치고 있던 것을 깨달아버린 것이다. 아, 도저히 넘을 수 없는 벽이라는 게 있는 거구나. 재능이 있는 사람은 따로 있는 걸지도 몰라. 마음이 휘청했다. 어렸을 때 일찍이 작가의 꿈을 접으면서 백번 천번은 더 갖다 쓴 핑계가 마음속에서 살그머니 고개를 들었다. 나는 내가 쓴 글이 다시금 부끄러워졌다.

"우리 일단 해봐요. 어떻게든 써 봐요." 하던 다짐이 무색하게 모든 것을 포기하고 싶은 심정이었다. 이날 먹은 게 별로 없었는데도 배고픔조차 느낄 수가 없었다. 입맛이 싹 가시는 듯했다. 이렇게 매번 나의 볼품없음을 마주하고, 절망하고, 자책감을 가졌다가 다시 모든 걸 내려놓고, 다시 글을 쓰게 되고. 몇 번을 반복하면 조금 용기 낼 수 있으려나. 세상에는 좋은 이야기를 가진 사람, 멋진 글을 쓰는 사람이 정말 어마어마하게 많았다. 글 쓰는 사람들을 많이 만나면서 글쓰기에 대한 동기도 많이 얻었다. 하지만 그동안 나는 내가 쓰는 글이 얼마나 부족한지 증명해온 걸지도 모른다는 생각에 명치가 데인 것처럼 화끈화끈했다. 신물이 났다.

집에 돌아와서 나는 밤이 새도록 글을 썼다. 손끝으로 땅을 파고 또 파는 기분이었다. 내 한계를 파헤쳐서 직시해야 할 것만 같았다. 누구의 말대로 내가 욕심이 많은 걸지도 모르겠다. 너무 완벽하게 하려다 보니 시작조차 못 하는 거라고. 완벽은커녕 나는 완결조차 내지 못하는 사람이었다. 어제 하루와 오늘 하루가 나에게는 전혀 다른 온도로 다가왔다. 진짜 냉탕과 온탕에는 들어가 보지도 않은 채 발끝만 살짝 담그고는 생각보다 차갑다느니 뜨겁다느니 하고 있었는지도 모른다는 생각이 들었다. 울고 싶었는데 겁이 나서 눈물도 잘 안 났다.

벅벅 긁어낸 땅 아래로 나의 한계를 발견했을 때부터가 진짜 시작일지도 모르겠다. 씨앗을 심으려고 해도 일정한 깊이 이상의 땅을 파야 한다. 땅 밑에서부터 시작해서 천천히 키워 가면 된다. 한참 걸리겠지만 꾸준히 가꾸어서 삐죽 틔운 싹을 보면, 그땐 나도 용기를 낼 수 있을 것 같다. 무럭무럭 자라진 못해도 열심히 키웠다고. 그렇게 말하고 싶다. 누가 시켜서 하는 일이 아니라, 내가 좋아서 하는 일이니까. 욕심 내지 않고, 비교하지 않고, 서두르지 말고, 묵묵히 나와의 약속을 지켜나가는 것에 희망을 걸 수밖에 없다.

그리고 좋은 글을 쓰는 사람들에게 앞으로도 계속 써 달라고 말하는 것 외에는 더할 소명이 없다는 생각을 해본다. 누군가가 나에게 글을 쓰라고 했듯이, 용기 내서 일단 한번 해보라고 했듯이, 좋은 글을 쓰면서도 주저하는 이가 있다면 다가가서 계속 쓰라고, 일단 쓰라고 말해주기로 결심한다.

바다는 참지 않기 때문에

비가 온다. 하늘에서 떨어진 빗방울은 땅에 무수한 점을 찍는다. 땅바닥으로 떨어진 방울은 웅덩이를 만들고, 고인 물 위로 떨어진 방울은 물결을 만든다. 고이고 합쳐지고 또 따로 흐르면서. 비가 내리는 걸 좋아하지만 오늘은 왠지 그 점들이 보기 싫어서 집 밖에 나가질 않았다. 내가 잊고 있던 것들을 그 점들이 톡, 톡 하고 건드릴 것만 같아서.

택배를 들여와 달라는 동생의 부탁에 잠시 현관문을 열어 손을 뻗었다. 주택이라 문만 열면 밖이다. 습한 물기가 손에 슥 끼쳐오는 것만 같다. 힐끗 올려본 하늘은 비가 새 울어버린 천장 같다. 젖은 종이처럼 얼룩덜룩하고 곧 찢어질 것만 같다. 한 번 울어버린 종이는 다시는 원래대로 돌아가지 못하지. 아무리 잘 말려도 되돌릴 수가 없다. 되돌릴 수 없는 것들이 참 많은 세상에서, 하늘만큼은 비가 개면 무슨 일이 있었냐는 듯 빳빳해지고 모든 얼룩마저 사라지니 참 다행이다.

비가 올 거란 예보를 미리 봐두긴 했지만 내심 비가 오지 않았으면 하고 바랐다. 혼자 조용히 다녀올 곳이 있었기 때문이다. 어딜 가고, 움직이는 것조차 조심스러운 나날이다. 하지만 이곳을 잠시나마 떠나 있어야겠다는 생각이 들었다. 그래봤자 삼일 정도지만 이런 기회가 자주 오는 게 아니었다. 휴가가 생긴 참에 여행 비슷한 무언가를 하고 싶었다.

무엇보다 바다가 보고 싶었다.

커다란 창으로 바다가 보이는 숙소를 예약했다. 바다로 가득 찬 창문. 고성에 있는 작은 펜션이었다. 혼자, 평일에, 한 번도 가보지 못했던 외딴 바다에 간다. 알아본 바로는 그곳엔 사람도, 상가도 많지 않아서 한적하기 그지없다고 한다. 그래서 그곳으로 정했다.

해수욕장을 혼자 산책해도 좋을 테고, 커피를 사가지고 와 바다를 바라보며 마셔도 좋겠다. 그곳에서 책을 읽고 글을 쓰면 더할 나위 없겠지. 코앞에 바다가 있어 잠자리에 들기 전에 창문을 살짝 열어 두면 파도 소리가 들려온다고 했다.

너무 맑아서 눈이 부실 정도로 파란 바다를 상상했지만, 비가 오는 바람에 청명한 바다를 확신할 수 없게 됐다. 빗물이 점을 찍어대는 고성의 바다를 떠올린다. 회색빛이 돼 버린 바다. 다른 때면 비가 내리는 바다도 운치가 있어 좋겠다고 생각했겠지만, 지금은 비가 오는 바다를 보면 빗방울이 내 마음속에 무언가를 톡, 톡 건드릴 것만 같아서 조금은 두렵다. 그 무수한 방울들을 감당해 낼 자신이 없다.

바다에 가고 싶었던 건, 마음에 고여 있는 것들이 많기 때문이다. 고이거나 합쳐지고 또 따로 흐르는 것들. 마르지 않고 고여 있는 웅덩이 같은 것들. 내가 써온 글들을 책으로 묶는 작업을 하다가 '막막한 마음이 바다를 보고 명쾌해지는 건, 망설임 없이 솟구치는 파도와 머뭇거리지 않는 시원한 물살 때문인가 보다. 바다는 참지 않기 때문인가 보다.' 하는 문장이 눈에 들어왔다. 오래도록 가지 못했던 바다가 가슴 속에 살아나서는 그리움에 끙끙대는 시간이 있었다.

그 시간 동안 마음에 쌓인 것도 참 많았을 거다. 미뤄오던 것들, 두려워서 머뭇거리던 것들. 한 걸음만 더 내디디면 되는데, 그 용기가 없어서 멈추었던 것들.

바다를 보러 가는 큰 이유는, 책 작업을 마무리하기 위해서다. 수정작업만 끝내면 된다. 딱 한 걸음만큼의 용기라도 얻어올 수 있기를 바라본다. 파도의 힘에 휩쓸려 아주 작은 무엇이라도 해낼 수 있기를.

나는 계속
글을 쓰게 될 것만 같다

첫 출근길, 전날 술을 많이 마신 탓에 목이 탔다. 충무로에서 일하는 건 처음이다. 지하철을 타고 가는 길부터 긴장감과 어색함이 열차 뒤로 졸졸 따라붙는다. 이온 음료를 사야지. 타는 목과 덩달아 타들어 가는 마음에 불을 끌 생각이었다.

역 출구로 나와 편의점으로 향하는데, 길 건너편에 낯익은 글자가 눈에 들어왔다. 노란 간판에 'OO 인디고'라고 적혀있는, 작은 인쇄소였다. 이 근방에 인쇄소가 무척이나 많았는데 그 간판만이 눈에 박히듯 들어온 건, 며칠 전 받은 택배에 바로 저 인쇄소의 이름이 적혀있었던 게 기억났기 때문이다.

택배가 도착하기 전부터 두근두근, 하다가도 신경 쓰지 말아야지, 하다가도 자꾸만 안달이 났다. 택배 봉투를 열었을 때, 'OO 인디고'라고 쓰여 있는 비닐봉지가, 그리고 그 안에는 남색 빛을 띠는 작은 책이 한 권 들어있었다. 투박하지만 나름 두툼한, 처음으로 내가 쓴 글을 묶어 책의 형태로 만들어 낸 샘플이었다.

나의 책이 인쇄된 곳이 새로 출근할 회사 바로 맞은편에 있다니! 이렇게 우연히 마주하게 되다니! 여기 체인점은 아니겠지? 슬쩍 검색해보고는, 딱 한 곳인 걸 확인하고 내심 반가워 사진까지 남겼다. 내가 인쇄소의 위치를 몰랐던 건, 이 책이 나에게 선물처럼 왔기 때문이다.

업무 때문에 일산에 갔던 날이었다. 방송국 근처에 있는 작고 조용한, 커피가 맛있는 카페에서 일산 주민 S님을 만났다. 내가 처음 글쓰기 수업을 들었을 때 인연이 닿았고, 에세이 스탠드를 접할 수 있게 도와준 고마운 분이다. 만나면 글에 대한 고민이나 생각들을 술술 털어놓게 되는 마력을 지닌 작가님이자 처음 만났을 때부터 지금까지 언제나 '글을 쓰세요, 책을 내세요.' 주문을 걸듯이 용기를 주는 동기님이다.

그날은 조금 특별했다. 그동안 썼던 글에 관한 이야기를 나누다 마침 챙겨온 노트북을 열어 모아두었던 글을 보여드리게 됐다. S님은 찬찬히 보더니, 진단을 내리는 의사처럼 "글은 충분히 모인 것 같군요." 했다. 그리고는 반짝이는 눈으로 말했다.

"지금 만들어 볼래요?"
"네? 지금요? 어떻게요?"

그러자 S님은 자신의 노트북으로 작업을 하기 시작하더니 마치 마법사처럼 나의 글들을 모아 금세 책 모양을 디자인해냈다. 이미 여러 번의 독립 출판 경험이 있는 베테랑다웠다. 표지에는 내가 예전에 찍어 둔 한강의 저녁 풍경 사진을 넣었다. 기대했던 것보다 훨씬 그럴싸했다. 그런데 제목이 문제였다.

"저는 혜영 님 글에서 이 문장이 딱 눈에 들어왔어요. 제목으로 넣어보면 어때요?"

그렇게 제목과 이름까지 표지에 새겨지고, 디자인이 완성됐다. 책을 만들고 싶다고 생각만 하고 엄두를 내지 못했던 나에게는 신선한 충격이었다. 글의 목차는 가나다순이었고, 퇴고 되지 않은 글들이 섞여 뒤죽박죽인 미완성의 책이었지만, '완벽'이라는 벽 앞에서 머뭇대고만 있던 내가 처음으로 그 벽을 부수는 순간이었다.

사려 깊은 책의 마법사는 자신이 주로 인쇄를 맡기는 인쇄소에 책 샘플 주문까지 직접 해주었다. 그리고는 이건 정말 샘플일 뿐이니, 느낌만 보면 된다고 설명했다. 자신이 쓴 글을 책으로 인쇄해서 보면 기분이 다를 거라고, 그냥 프린트해서 읽는 것과는 전혀 다르다고 했다. 쭉 읽어보면서 고칠 내용이나 뺄 내용, 더할 내용을 정리하면 책을 만들기 더 수월할 거라는 조언까지 덧붙여 주었다.

그렇게 나의 책은 어디에서 왔는지 모르게 나에게 왔다. 설레는 마음으로 책을 펼쳐봤지만, 생각보다 오래 붙잡고 있을 수가 없었다. 부족하고 형편없는 문장들이 두더지 잡기 기계 속 두더지들처럼 계속해서 튀어나왔기 때문이다. 씁쓸한 마음이 들었지만, 비겁하게도 더 열심히 해야겠다는 생각보다는 일단 미뤄두기를 택했다. 변명일지도 모르지만, 코로나 바이러스 때문에 일을 쉬게 되는 바람에 경제적으로 궁핍했고, 마침 새로운 프로그램을 시작하게 된 것이다.

결국 책을 만드는 걸 뒤로 미루고 출근하게 된 곳.
그 건물 맞은편에 있는 인쇄소. 아이러니였다.

출퇴근길마다, 식사하러 나갈 때마다, 길을 오고 갈 때마다 나는 인쇄소를 바라보며 따끈따끈하게 종이에 찍혀 나오는 나의 글을 연상했다. 그 열기가 손바닥에 훅 끼쳐오는 듯했고, 책이 만들어지는 과정이 눈앞에 그려지는 것만 같았다. 그럴 때마다 괜히 가슴

한편이 화상을 입은 것처럼 따끔거리고 쓰렸다.

출근한 팀은 예상했던 대로 숨 막혔다. 이 일은 항상 그랬으니까. 어느 날 팀원들과 답답한 마음을 달래기 위해 건물 옥상으로 향했다. 옥상에서는 저 멀리 남산 타워가 보였다. 유독 커다랗고 뾰족하다. 가시처럼 내 마음을 찔러댈 수 있는 뾰족한 것들이 사방에 있다. 남산타워를 가장 가까이에서 봤던 곳. 책방이 있는 곳. 해방촌에서 글을 쓰는 사람들을 만났던 기억들이 자꾸 솟아났다.

기억 속 풍경은 의미를 부여한 순간부터 영원히 그 의미를 입고 산다. 그리곤 곁에서 말을 건다. 무심코 스쳐 지나갈 수도 있지만, 가던 길을 멈추고 잠시 바라보라 한다. 네가 잊고 있던 게 무엇인지 물어온다. 어둑한 하늘과 몸집이 큰 구름, 작아진 도시를 내려다보며 울렁거리는 속을 억눌렀다.

그리고 어느 날, 용기를 내 책을 펼쳐 처음부터 끝까지 읽어 내려갔다. 부족하고 형편없어도 나의 진심을 눌러 담아 쓴 글이다. 내가 사랑해주지 않으면, 그 어디에서도 사랑받을 수 없을 테지.

그렇게 다 읽고 나니 마음이 한결 편안해졌다. 부족한 글은 계속 다듬으면 되고, 보이고 싶지 않은 글은 품 안에 좀 더 껴안고 있으면 된다. 책을 만들고 싶다는 나의 결심은 유효하다. 우연과도 같은 순간들이 운명처럼 계속해서 나를 붙잡아주고 있기 때문이다.

세상에 단 하나뿐인 나의 책은 언제나 침대 머리맡에 놓여있다. 퍽퍽한 세상을 살다가도 그 책을 바라보면 다시 시작해볼 수 있겠다는 용기가 생긴다. 믿는 구석이라도 생긴 것처럼 마음이 든든해진다.

나의 책 제목처럼,
'나는 계속 글을 쓰게 될 것만 같다'

시간이 흐르고 덧붙이는 글-

머리맡에 책을 두고 지낸 지 꼬박 일 년이 지났다. 참 오래 걸렸다. 일이 너무 바쁘다고, 아직 원고가 다 준비가 안 됐다며 미루고 또 미뤘다. 사실 시간이 없었던 게 아니라 마음의 준비가 안 됐던 것뿐이었다.

가수들에게는 노래 제목을 따라가게 된다는 징크스가 있다고 한다. 나도 책 제목을 따라가고 싶은 마음으로 그때의 마음을 되새기며, 책 제목을 그대로 옮겨지었다.

나와 비슷한 마음으로 책을 산 사람들이 이 책을 책꽂이에 꽂아두거나, 선반 위에 올려 두거나, 침대 머리맡 협탁에 두고는 책등이나 책 표지만 보고도 언제든지 글을 쓰고 싶었던 그때의 마음을 상기할 수 있기를 바란다. 무언가 털어내고, 쏟아내고, 나의 마음을 스스로 돌보고 싶은 마음. 그 마음이 언제나 곁을 지켜주기를.

그리고, 이 책이 만들어질 수 있도록 도와준 S님에게 다시 한번 감사를 전한다.

마무리하며

그동안 글을 쓰면서 가장 많이 썼던 글은, 그토록 쓰고 싶어 하면서도 왜 이렇게 글을 안 쓰는지에 대한 자기반성의 글이었다. 그런데 어느새 되돌아보니 하나의 책으로 묶을 만큼의 글을 모았다. 멈춰있다고 생각했지만, 나는 글을 향한 사랑을 한 번도 멈춰본 적이 없었다. 이건 다 함께 글을 써주고 곁에서 힘을 보태준 사람들 덕분이다. 자주 흔들리고, 불안해하는 나를 다잡아 준 고마운 사람들. 그렇게 나는 계속 글을 쓸 수 있었다.

보여주기 부끄러운 글도 있다. 조금 더 솔직했다면 좋았을 걸, 혹은 조금 덜 솔직했다면 좋았을 걸 싶은 글도 그러모아 담았다. 오래 전에 썼던 글은 지금의 나와 달라서 인정하기 쉽지 않았다. 다른 사람이 쓴 글처럼 생경하게 느껴지기도 했다. 하지만 나는 매초 매분 변하고 있고, 지난 나의 글을 부정하면 그 시절의 나를 부정하는 것만 같았다. 그래서 나는 내가 쓴 순간의 조각들과 이젠 희미해져서 오로지 글에서만 만날 수 있는 장면들을 간직하기로 했다.

나의 글을 읽고, "아, 나도 글 쓰고 싶다."라고 누군가 말해준 적이 있다. 글을 쓰고 싶은 나의 간질간질한 마음이 그에게 옮겨간 것 같았다. 그 한 마디가 다른 어떤 소감보다 좋았다. 다른 사람들이 내가 계속 글을 쓸 수 있도록 곁을 지켜줬듯이 나도 그렇게 하고 싶다. 책을 다 읽고 난 뒤, 무언가가 쓰고 싶어졌다면 그것으로 충분하다. 작은 고백일지라도 누군가에게는 깊이 가 닿을 수 있음을 우리는 기억해야 한다.

나도, 당신도, 우리는 계속 글을 쓰게 될 것만 같다.

나도,
당신도,
우리는
계속 글을
쓰게 될 것만
같다

나는 계속 글을 쓰게 될 것만 같다
장혜영 지음

펴낸이 장혜영
표지 박명규
도움 석영

초판 1쇄 발행 2022년 3월 7일

E-mail your_young@naver.com
Instagram @hye__young.j

* 본 출판물에는 직지소프트의 지원을 받아
  'SM3신신명조' 서체가 사용되었습니다.